CLASSIQUES LAROUSSE

Collection fondée en 1933 par FÉLIX GUIRAND
continuée par
LÉON LEJEALLE (1949 à 1968) et JEAN-POL CAPUT (1969 à 1972)
Agrégés des Lettres

LA ROCHEFOUCAULD

MAXIMES

et

RÉFLEXIONS DIVERSES

avec une Notice biographique, une Notice historique et littéraire,
un Index thématique, des Notes explicatives,
une Documentation thématique, un Questionnaire,
des Jugements et des Sujets de devoirs,

par

JEAN-POL CAPUT
Agrégé de Lettres modernes

Texte intégral

LIBRAIRIE LAROUSSE

17, rue du Montparnasse, 75298 PARIS

RÉSUMÉ CHRONOLOGIQUE
DE LA VIE DE LA ROCHEFOUCAULD
1613-1680

1613 (15 septembre) — Naissance de François VI de La Rochefoucauld à Paris, d'une très ancienne famille aristocratique. D'abord appelé « prince de Marcillac », du nom d'un château que possède la famille aux environs d'Angoulême, il ne portera le titre de « duc de La Rochefoucauld » qu'à la mort de son père, en février 1650.

1620-1628 — Il reçoit l'éducation d'un fils de grand seigneur, fort négligée : il lit beaucoup de romans. En 1622, le comté de La Rochefoucauld a été érigé en duché.

1628 (20 janvier) — La Rochefoucauld épouse Andrée de Vivonne, qui lui donnera huit enfants.

1629 — Il est maître de camp du régiment d'Auvergne et fait ses premières armes en Italie.

1634 — Naissance de son premier fils, François VII.

1635 — Naissance de son deuxième fils, Charles. La Rochefoucauld se lie avec la duchesse de Chevreuse; il va combattre en Flandre (1635-1636).

1637 — Naissance de sa première fille. — De concert avec Mᵐᵉ de Chevreuse, aux intrigues d'Anne d'Autriche contre Richelieu et forme notamment le projet romanesque d'enlever la reine et sa demoiselle d'honneur. Tandis que Mᵐᵉ de Chevreuse fuit en Espagne, il indispose Richelieu, est emprisonné huit jours à la Bastille, puis exilé pour deux ans dans son château de Verteuil.

1638 — Naissance de sa deuxième fille, Henriette. A Verteuil, La Rochefoucauld fait un commerce fructueux de vin avec l'Angleterre.

1639 (juin) — Il retourne aux armées, où sa belle conduite lui vaut des offres flatteuses de la part du Cardinal. Mais il reste dans l'opposition; il est compromis dans le complot de Cinq-Mars.

1641 — Naissance de sa troisième fille, Françoise.

1642-1643 — Mazarin, qui a pris un grand ascendant sur Anne d'Autriche, s'emploie très habilement à tromper, à user peu à peu le prince de Marcillac, avide d'honneurs, qui, après avoir décliné bien des propositions, obtient, pour tout avantage, la permission d'acheter — fort cher — en 1646 la charge de gouverneur du Poitou. — Naissance d'Henri Achille (1642), troisième fils de La Rochefoucauld. Celui-ci participe à la bataille de Rocroi (1643) et accueille Mᵐᵉ de Chevreuse revenant d'exil. Le parti des Importants est vaincu (septembre).

1646 — La Rochefoucauld rejoint en Flandre, comme volontaire, l'armée du duc d'Enghien et est nommé maréchal de camp; il reçoit au siège de Mardick trois coups de mousquet. Il se lie avec la duchesse de Longueville, sœur du duc d'Enghien.

1648 (décembre) — Furieux de s'être vu refuser le droit de porter, avant la mort de son père, le titre de duc, excité par Mᵐᵉ de Longueville, La Rochefoucauld, qui a participé aux cabales des Importants, devient lieutenant général de l'armée rebelle. Derechef, il est blessé assez grièvement.

1649 — Naissance du comte de Saint-Paul, fils de Mᵐᵉ de Longueville et de La Rochefoucauld. A la convention de Rueil (mars), celui-ci est compris dans l'amnistie accordée aux Frondeurs.

© Librairie Larousse, 1975.   ISBN 2-03-870079-6

1650 (janvier) — Après l'arrestation des princes (Condé, Conti, Longueville), tandis que Mme de Longueville gagne la Hollande, il va lever des troupes en Poitou. Son père meurt (février). La Rochefoucauld organise la défense de Bordeaux pour les princes (mai); en représailles, son château de Verteuil est rasé en août par les troupes royales. A Bourg-sur-Gironde, la paix est signée avec la Cour. La Rochefoucauld est amnistié.

1651-1652 — Mazarin quitte Paris, où les princes, libérés, rentrent triomphalement. Conflit entre les princes et Retz, que La Rochefoucauld tente d'assassiner. Celui-ci rompt avec Mme de Longueville. Dans Paris, Condé se heurte à l'armée royale, conduite par Turenne : combat du faubourg Saint-Antoine, où le duc reçoit en plein visage une décharge de mousquet. En octobre 1652, le roi accorde une amnistie, que La Rochefoucauld refuse; ce dernier se retire à Damvilliers avec sa famille. Il commence la rédaction de ses *Mémoires*.

1653 — Il négocie son retour en France et se retire à Verteuil.

1655 — Naissance de son fils Alexandre.

1659 — La Rochefoucauld reçoit du roi une pension de 8 600 livres. Mariage de son fils François VII avec Mlle de Plessis-Liancourt, sa cousine. Il se lie d'amitié avec Mme de Sablé et se convertit de plus en plus aux lettres.

1662 — Il fréquente l'hôtel de Nevers; il y rencontre notamment Mme de Sévigné et Mme de La Fayette. Il est promu à l'ordre du Saint-Esprit.

1663 — Il fréquente les salons de Mlle de Scudéry, de Mlle de Montpensier et surtout de Mme de Sablé.

1664 — La goutte le fait de plus en plus souffrir.

1665 — Début de sa tendre liaison avec Mme de La Fayette. Publication des *Maximes*.

1667 — La Rochefoucauld, volontaire, reprend du service dans l'armée royale.

1670 — Mort de sa femme, à Verteuil.

1672 — Corneille lit *Pulchérie* (janvier) et Molière *les Femmes savantes* (mars) chez La Rochefoucauld. Sa mère meurt (4 mai). Au passage du Rhin (juin), François VII est grièvement blessé, alors que son frère Jean-Baptiste et le comte de Saint-Paul sont tués.

1675 — Reconstruction du château de Verteuil.

1679 — Mme de Longueville meurt. Son petit-fils épouse la fille de Louvois.

1680 (nuit du 16-17 mars) — La Rochefoucauld meurt, après avoir reçu de Bossuet l'extrême-onction.

La Rochefoucauld avait sept ans de moins que Corneille, quinze ans de moins que Voiture, dix-sept ans de moins que Descartes et seize ans de moins que Guez de Balzac, un an de plus que Retz, huit ans de plus que La Fontaine, dix ans de plus que Pascal, treize ans de plus que Mme de Sévigné, quatorze ans de plus que Bossuet, dix-neuf ans de plus que Bourdaloue, vingt-deux ans de plus que Mme de Maintenon, vingt-trois ans de plus que Boileau, vingt-six ans de plus que Racine, trente-deux ans de plus que La Bruyère.

LA ROCHEFOUCAULD ET SON TEMPS

	la vie et l'œuvre de La Rochefoucauld	le mouvement intellectuel et artistique	les événements politiques
1613	Naissance de François VI, prince de Marcillac, le 15 septembre.	Jean de La Ceppède : Théorèmes spirituels. Régnier : Satires (nouveau recueil). Mort de Régnier. Bérulle introduit l'Oratoire en France. Cervantes : Nouvelles exemplaires.	Michel Romanov est élu tsar (3 mars).
1628	Mariage avec Andrée de Vivonne (le 20 janvier).	Mort de Malherbe. William Harvey explique la circulation du sang.	Prise de La Rochelle (28-29 octobre).
1629	Premières armes en Italie.	Rotrou, poète à gages de l'Hôtel de Bourgogne. P. Corneille : Mélite. Saint-Amant : Œuvres.	Paix d'Alès entre catholiques et protestants (28 juin).
1634	Naissance de son premier fils, François VII.	Rotrou : Hercule mourant, tragédie; Cléagénor et Doristée, tragi-comédie. P. Corneille : la Place Royale. Mairet : Sophonisbe. La troupe de Mondodory s'installe au Marais.	Disgrâce et assassinat de Waldstein (25 février). Victoire des Impériaux à Nordlingen (septembre).
1635	Naissance de son deuxième fils, Charles. Liaison avec la duchesse de Chevreuse.	Fondation officielle de l'Académie française. P. Corneille : Médée et l'Illusion comique. Benserade : Cléopâtre. Scudéry : la Mort de César. Rotrou est attaché au service de Richelieu.	Déclaration de guerre à l'Espagne (19 mai). Naissance de Françoise d'Aubigné, future Mme de Maintenon.
1637	Naissance de sa première fille. Projet d'enlèvement de la reine.	Querelle du Cid. Desmarets de Saint-Sorlin : les Visionnaires. Descartes : Discours de la méthode. Mort de Ben Jonson.	Révolte des « Croquants » du Limousin. Révolte de l'Écosse contre Charles Ier.
1639	Compromis dans le complot de Cinq-Mars.	Fr. Mainard : Odes. G. de Scudéry : Eudoxe, tragi-comédie. Velasquez : Crucifixion. Naissance de Racine.	Paix de Berwick entre l'Écosse et l'Angleterre. Révolte des « Va-Nu-Pieds » en Normandie.
1646	Début de sa liaison avec Mme de Longueville. Nommé gouverneur du Poitou (novembre).	Cyrano de Bergerac : le Pédant joué. Saint-Amant : Poésies.	Prise de Dunkerque.

1648	Il s'attache au camp des Frondeurs. Il est blessé assez grièvement.	Rotrou : Cosroès, tragédie. Scarron : Virgile travesti. Rembrandt : les Pèlerins d'Emmaüs.	Traité de Westphalie. Journée des Barricades (26 août).
1649	Naissance du comte de Saint-Paul, fils de Mme de Longueville et de La Rochefoucauld. Apologie du prince de Marcillac.	Descartes : Traité des passions de l'âme. Traduction française du De cive de Hobbes (1642). Début de la polémique sur l'Augustinus de Jansénius. Mlle de Scudéry : Artamène ou le Grand Cyrus.	Révolte parisienne (la Fronde) : Paris assiégé par le roi. Révolte de Turenne. Procès et exécution de Charles Ier.
1650	Mort du père de La Rochefoucauld; ce dernier devient duc.	Saint-Evremond : la Comédie des Académistes. Mort de Descartes et de Rotrou.	Troubles de la Fronde : victoire provisoire de Mazarin sur Condé et les princes.
1652	Il est blessé au faubourg Saint-Antoine (juillet). Il se retire à Damvilliers (octobre).	Edition définitive des Œuvres de Régnier, Ph. de Champaigne : portrait de Pascal.	Poursuite de la Fronde. Condé contre Turenne; bataille du faubourg Saint-Antoine.
1659	La Rochefoucauld reçoit une pension royale de 8 600 livres. Amitié avec Mme de Sablé. Première édition des Mémoires.	Molière : les Précieuses ridicules. Villiers : le Festin de pierre. Retour de Corneille au théâtre avec Œdipe.	Paix des Pyrénées : l'Espagne cède l'Artois et le Roussillon à la France.
1662	La Rochefoucauld est promu à l'ordre du Saint-Esprit.	Molière se marie avec Armande Béjart; l'École des femmes. Corneille : Sertorius. Mort de Pascal (19 août). Fondation de la manufacture des Gobelins.	Michel Le Tellier, Colbert et Hugues de Lionne deviennent ministres de Louis XIV.
1665	Amitié avec Mme de La Fayette. Première édition des Réflexions ou Sentences et maximes morales.	Molière : Dom Juan; l'Amour médecin. La Fontaine : Contes et Nouvelles. Mort du peintre N. Poussin.	Peste de Londres.
1679	Mort de Mme de Longueville. La Rochefoucauld refuse de se présenter à l'Académie.	La Fontaine : Fables (IX, X et XI); Discours à monsieur le duc de La Rochefoucauld.	Traité de Nimègue : l'Espagne cède la Franche-Comté.
1680	Mort de La Rochefoucauld (16-17 mars).	Malebranche : Traité de la nature et de la grâce. Borelli, physicien mécaniste : De animalium motu.	

BIBLIOGRAPHIE SOMMAIRE

ÉDITIONS DU TEXTE

La Rochefoucauld — *Réflexions ou Sentences et maximes morales. Réflexions diverses*, présentées avec leurs variantes par Dominique Secretan (Genève-Paris, Droz-Minard, 1967).

La Rochefoucauld — *Maximes*, présentées par Trucher (Paris, Garnier, 1967).

OUVRAGES GÉNÉRAUX SUR LA ROCHEFOUCAULD

Paul Bénichou — *Morales du Grand Siècle* (Paris, Gallimard, 1948).

Antoine Adam — *Histoire de la littérature française au XVIIe siècle*, tome IV (Paris, Domat, 1954).

J. Rousset — *la Littérature de l'âge baroque en France* (Paris, José Corti, nouvelle édition, 1954).

Edith Mora — *François de La Rochefoucauld, l'homme et l'œuvre* (Paris, Seghers, 1965).

Roger Lathuillère — *la Préciosité, étude historique et linguistique*, dont le tome I (*Positions du problème — Les origines*) est seul paru (Genève, Droz, 1966).

Louis Hippeau — *Essais sur la morale de La Rochefoucauld* (Paris, Nizet, 1967).

Jean Lafond — *La Rochefoucauld. Augustinisme et littérature* (Paris, Nizet, 1969).

SUR LES « MAXIMES »

H. Grubbs — *The Originality of La Rochefoucauld's Maxims*, dans *Revue d'histoire de la littérature française* (1929). — « La Genèse des Maximes de La Rochefoucauld », dans *Revue d'histoire de la littérature française* (1932-1933).

Mary F. Zeller — *New Aspects of the Style in the Maxims of La Rochefoucauld* (Washington, Catholic University of America, vol. 48, 1954).

Margot Kruse — *Die Maxime in der Französischen Literatur* (Hambourg, 1960).

SUR LE VOCABULAIRE ET LA LANGUE

Jean de Bazin — *Index du vocabulaire des « Maximes » de La Rochefoucauld* (Paris, Kleincksieck, 1977).

MAXIMES ET RÉFLEXIONS DIVERSES

NOTICE

CE QUI SE PASSAIT EN 1665

■ *EN POLITIQUE* : *L'Angleterre déclare la guerre à la Hollande; sur les côtes du Suffolk, le duc d'York bat la flotte hollandaise (octobre). La peste ravage Londres.* — *En Espagne, Charles II succède à Philippe IV. Les Portugais remportent une victoire sur les Espagnols à Villa Viciosa.* — *Sur la côte d'Afrique, le duc de Beaufort met en fuite la flotte algérienne.*

■ *DANS LES BELLES-LETTRES* : *Le 15 février, Molière donne le* Dom Juan, *comédie en cinq actes et en prose, retirée de l'affiche dès le 20 mars malgré son succès; le 15 septembre, il joue sa comédie de* l'Amour médecin; *le 4 décembre, sa troupe présente la tragédie* d'Alexandre le Grand *de Racine (mais, dès le 18, celui-ci confie sa pièce à l'Hôtel de Bourgogne). Quinault fait représenter la* Mère coquette. *Boileau vient d'écrire (1664) son* Discours au roi, *sa* Satire V *et achève sa* Satire III. *Bossuet prêche le* Carême *à Saint-Thomas-du-Louvre et l'*Avent *au Louvre. Fléchier commence ses* Mémoires sur les Grands Jours d'Auvergne. *La Fontaine publie le premier recueil de* Contes *signé de son nom, et l'abbé Cotin le deuxième volume de ses* Œuvres galantes. — *Fondation du* Journal des savants.

■ *DANS LES SCIENCES ET DANS LES ARTS* : *Mort du mathématicien Fermat et du peintre Nicolas Poussin.* — *Claude Perrault commence la colonnade du Louvre.*

L'ENVIRONNEMENT SOCIOCULTUREL DES « MAXIMES »

A partir de 1663 environ, La Rochefoucauld fréquente assidûment les salons de Mlle de Scudéry et de Mlle de Montpensier. Lié d'amitié avec Mme de Sablé, il a l'occasion de rencontrer chez elle — encore qu'à cette époque elle l'entretienne avec ses amis un commerce presque exclusivement épistolaire — un groupe de personnes dont les préoccupations et les points de vue ne seront pas sans importance dans la genèse des *Maximes*. M. de Sourdis et Menjot, médecin, étaient des scientifiques, tandis que les autres se portaient davantage aux études morales, tels la comtesse de Maure, Arnauld d'Andilly, auteur de sentences sur l'honnête homme, Antoine Arnauld, Jacques Esprit et Mme de Sablé, dont quelques maximes parurent dans la première édition du recueil de La Rochefoucauld. Cette société s'intéressait aux sciences, à l'éducation et à la politique, mais elle débattait aussi de problèmes théologiques : elle s'opposait à la tendance moliniste, qui considérait les passions comme neutres en elles-mêmes et la volonté de l'homme comme libre, et à celle des augustiniens, pour qui les passions sont toujours vicieuses et l'amour-propre corrompt toute action humaine. La Rochefoucauld, comme en témoignent les *Maximes*, se rangeait plutôt dans ce dernier parti : de là son pessimisme à l'égard de l'amitié et de l'amour, dans leurs formes couramment observables, et sa tendance à dénoncer l'égoïsme, qui sous-tend les passions. D'autres problèmes, moraux, étaient en discussion : l'amitié et surtout l'amour, sur lequel on était en désaccord, les uns se référant à l'amour de connaissance, les autres à l'amour d'inclination.

Comme on le voit par ces derniers thèmes en particulier, ainsi que par les salons fréquentés par La Rochefoucauld, les *Maximes* rejoignent ici le courant de la préciosité. Le passage suivant de l'étude monumentale que M. Roger Lathuillère consacre à ce phénomène permet de s'en rendre compte de façon nette et détaillée : « Qu'il s'agisse de littérature, de poésie, de morale, d'instruction féminine, de mariage ou de questions de langue [la préciosité] aborde tous les sujets avec confiance, et même avec audace. Elle veut pousser plus avant la connaissance de l'homme intérieur; elle désire explorer les zones inconnues de l'âme et apporter des nuances nouvelles, d'une délicatesse encore insoupçonnée, dans l'analyse des sentiments. Elle conçoit la vie et l'amour, et l'anatomie des cœurs comme un moyen de culture de soi. Aussi, quelle que soit l'importance qu'elle accorde aux belles passions, ne cesse-t-elle de donner la première place à l'intelligence et à la raison. Elle aime distinguer, opposer, disséquer, par un effort cérébral et lucide. Ainsi, elle se crée une image de l'homme tout de noblesse et de grandeur. Loin de ce qui est vulgaire, bas, terre à terre, ou tout simplement commun et bourgeois, elle est en quête de perfection, d'élégance, de finesse et de pureté. C'est pourquoi elle se retrouve dans le théâtre cornélien, qui l'aide à se hausser, au-dessus des banalités de la vie, jusqu'aux grandeurs héroïques exemplaires. A son école, comme à celle de *l'Astrée*, elle a pris le goût des débats élevés, des dissertations subtiles sur des cas complexes de morale ou de conduite amoureuse. Alors elle peut satisfaire son penchant pour les examens, les comparaisons, les définitions. Ce faisant, elle espère atteindre à la nature profonde des choses, à leur essence, par une abstraction progressive, tout en établissant des hiérarchies ingénieuses, comme par exemple entre les diverses sortes d'amour, d'estime et de reconnaissance[1]. » A cela s'ajoute l'influence de Tacite, moraliste plus qu'historien, s'attachant à peindre dans un style brillant l'hypocrisie et les secrets ressorts humains, qui sont à la source des événements historiques. D'autres

---

1. Roger Lathuillère, *la Préciosité, étude historique et linguistique*, tome Iᵉʳ : « Position du problème. Les origines » (Genève, Droz, 1966, p. 678).

rapprochements sont possibles avec des modernes étrangers, tels que l'Italien Baldassarre Castiglione ou l'Espagnol Balthasar Gracián, dont Mme de Sablé traduisit les maximes.

Ainsi, la triple influence de la préciosité, de l'augustinisme et des hommes de science expliquerait chez La Rochefoucauld le souci d'aller lucidement au fond des choses, un certain pessimisme qui voit la trace de l'égoïsme dans toute la vie morale et des tentations d'explications mécanistes. Mais la forme même des *Maximes,* par sa diversité et son caractère discontinu, est liée à ce jeu d'influences. Cette forme et la langue de l'auteur rejoignent les préoccupations de la préciosité, comme l'atteste M. Lathuillère : « Comme elle s'aventure dans de nouvelles analyses du cœur humain et qu'elle veut faire œuvre de moraliste et de psychologue, elle cultive les définitions, les maximes, les portraits. Pour cela, elle a besoin d'une langue abstraite, à la fois précise et nuancée dans son vocabulaire, suffisamment variée pour qu'elle puisse exprimer toutes les subtilités de la pensée. Elle accorde donc une place de choix au substantif, qui est naturellement apte à traduire la qualité dans sa totalité et à la mettre au premier plan[2]. »

LE GENRE DE LA MAXIME

Si l'on a pu dire que La Rochefoucauld et Mme de Sablé avaient lancé la mode de la maxime, si, d'autre part, cette dernière est un moule commode pour la recherche psychologique faite par la préciosité, il s'en faut de beaucoup que l'origine de cette forme d'expression soit chez notre auteur. L'Antiquité biblique, avec les livres sapientiaux, et surtout l'Antiquité gréco-romaine, avec ses reprises au XVIe siècle, offrent de nombreux exemples de cette manière concise et frappante que l'on peut considérer comme un genre littéraire. On peut citer : les aphorismes, ou définitions, d'Hippocrate; les apophtegmes, ou déclarations; les axiomes, ou vérités dignes d'être acceptées sans démonstration; les adages, qui, au départ, poussent à l'action, tels ceux qu'Érasme recueillit (Ire édition, 1500); les énigmes — dont la plus connue fut proposée par le Sphinx à Œdipe —, qui donnent à deviner ce qu'on n'exprime qu'à mots couverts; les oracles, ou paroles données en réponse; les épigrammes, ou inscriptions lapidaires — au sens premier : inscriptions gravées sur la pierre, d'où leur nécessaire brièveté; enfin les sentences, comme celles des Sept Sages. Ces dernières méritent que l'on s'y arrête quelque peu; en effet, le mot *sentence* signifie « phrase détachée » et correspond à un usage courant au XVIIe siècle : on extrait des auteurs anciens des phrases, des citations, que l'on conserve ainsi, isolées de leur contexte. De plus, le titre complet de l'ouvrage de

---

2. Id., *ibid.,* p. 680.

La Rochefoucauld est : *Réflexions ou Sentences et maximes morales.* Le terme de *sentence* convient bien à l'ouvrage : plus des trois quarts de ces réflexions ne comportent qu'une seule phrase. Toutefois, au XVIIe siècle, on fait une distinction importante entre la sentence, qui se rapprocherait de l'expression d'une observation, et la maxime, prescriptive, si l'on en croit La Bruyère dans la Préface des *Caractères* : « [Les maximes] sont comme des lois dans la morale, et j'avoue que je n'ai ni assez d'autorité ni assez de génie pour faire le législateur. » De même, Joubert écrira dans ses *Pensées* (IX, XLIII) : « Une maxime est l'expression exacte et noble d'une vérité importante et incontestable. Les bonnes maximes sont les germes de tout bien; fortement imprimées dans la mémoire, elles nourrissent la volonté. »

En tout état de cause, maximes ou sentences, le genre littéraire adopté par La Rochefoucauld n'était pas nouveau, mais s'adaptait exactement à son dessein et correspondait à des goûts, à des exigences aussi de son époque et de son milieu : la formule brève impose la concision, la recherche du mot juste et évocateur, mais elle flatte également le goût de la pointe, de la tournure piquante. Si nous avons affaire ici à un ouvrage tout entier constitué de sentences, on peut rappeler toutes les formules qui émaillent les pièces de Corneille, enfermées le plus souvent en un alexandrin — témoignage que nous avons ici, plutôt qu'un genre créé par nécessité, une rencontre harmonieuse entre un talent particulier et une forme qui lui convient spécialement.

LA PERSONNALITÉ DE LA ROCHEFOUCAULD ET LES « MAXIMES »

La personne de La Rochefoucauld non moins que sa vie expliquent en partie ses *Maximes.* Ce n'est pas qu'il faille chercher dans ces dernières des allusions à des personnes que l'auteur aurait visées ou des jugements faussés par la passion ou l'amertume; mais le style comme la vision de l'humanité portent la marque de l'auteur et de ses expériences. Le dessein même du moraliste n'est pas uniquement le résultat de l'influence précieuse. Dans son autoportrait, La Rochefoucauld témoigne de son intérêt pour ce type d'étude; tout d'abord appliqué à lui-même et par lui-même — c'est la lucidité : « Je me suis assez étudié pour me bien connaître, et je ne manque ni d'assurance pour dire librement ce que je puis avoir de bonnes qualités, ni de sincérité pour avouer franchement ce que j'ai de défauts. » Ensuite appliqué à lui-même par autrui, dans un dessein constructif — c'est le besoin de franchise et le goût de devenir meilleur : « J'ai [...] une si forte envie d'être tout à fait honnête homme que mes amis ne me sauraient faire un plus grand plaisir que de m'avertir sincèrement de mes défauts. Ceux qui me connaissent un peu particulièrement, et qui ont eu la bonté de me donner quelquefois des avis là-dessus, savent que je les ai toujours reçus avec toute la joie ima-

ginable, et toute la soumission d'esprit que l'on saurait désirer. »
Enfin, à titre général, La Rochefoucauld avoue : « La conversation
des honnêtes gens est un des plaisirs qui me touchent le plus. J'aime
qu'elle soit sérieuse, et que la morale en fasse la plus grande partie;
cependant je sais la goûter aussi quand elle est enjouée [...]. » Il y a
donc convergence sur ce point entre les goûts de La Rochefoucauld
et le souci d'une certaine partie de la société de son époque.

Concernant le contenu même des *Maximes*, il en va de même.
Comme bien d'autres grands personnages de sa génération, La Rochefoucauld était assez romanesque et a participé à l'expérience amère
de la Fronde. Ajoutés à cela, un certain pessimisme et la réaction
aux doctrines machiavéliques qui se répandent alors expliquent la
nuance assombrie des *Maximes* : « Premièrement, pour parler de
mon humeur, je suis mélancolique, et je le suis à un point que, depuis
trois ou quatre ans, à peine m'a-t-on vu rire trois ou quatre fois. »
La Rochefoucauld ajoute d'ailleurs qu'il lui vient beaucoup de mélan-
colie d'autres côtés aussi, qui renforcent ainsi son penchant naturel.
Cette tendance, jointe au désir d'aller au fond des choses et au souci
de pénétration, de lucidité, le conduit à dénoncer, lui aussi, les effets
de l'égoïsme, à rechercher les mobiles inavouables qui sont à l'origine probable des actions apparemment vertueuses et à considérer,
enfin, que « les vices entrent dans la composition des vertus comme
les poisons entrent dans la composition des remèdes : la prudence
les assemble et les tempère, et elle s'en sert utilement contre les maux
de la vie » (maxime 182). A l'égard des passions, La Rochefoucauld
ne s'en dit pas tenaillé : « J'ai toutes les passions assez douces et
assez réglées : on ne m'a presque jamais vu en colère, et je n'ai
jamais eu de haine pour personne. [...] L'ambition ne me travaille
point. Je ne crains guère de choses, et je crains aucunement la mort.
Je suis peu sensible à la pitié, et je voudrais ne l'y être point du tout. »
Comme en témoignent d'autre part les *Maximes*, il n'est pas hostile
aux passions : « J'approuve extrêmement les belles passions; elles
marquent la grandeur de l'âme, et, quoique dans l'inquiétude qu'elles
donnent il y ait quelque chose de contraire à la sévère sagesse, elles
s'accommodent si bien d'ailleurs avec la plus austère vertu, que je
crois qu'on ne les saurait condamner avec justice. Moi qui connais
tout ce qu'il y a de délicat et de fort dans les grands sentiments de
l'amour, si jamais je viens à aimer, ce sera assurément de cette sorte;
mais de la façon dont je suis, je ne crois pas que cette connaissance
que j'ai me passe jamais de l'esprit au cœur. » Nous avons ici une
opinion qui se vérifie par l'étude des *Maximes*; sans même mettre
en doute la sincérité ou la réussite de l'effort que l'on pourrait faire
pour supprimer les passions ou les étouffer, La Rochefoucauld passe
de l'observation — les passions sont à l'origine de nos actes — au
jugement de valeur : elles ne sont pas mauvaises en elles-mêmes.
Or, cette constatation a une double portée : montrer que la raison
est plutôt instrument d'analyse ou justification *a posteriori* que moyen

de diriger nos actes; mais aussi amorcer une tentative d'explication fondée sur les connaissances physiologiques modernes à cette époque. Les passions, en effet, sont liées aux humeurs; nous retrouvons les travaux scientifiques de Descartes. De plus s'explique ainsi le caractère changeant de l'homme — et, sur ce point, La Rochefoucauld rencontre Montaigne et Pascal. A. Adam, dans son *Histoire de la littérature française au XVIIe siècle*, écrit : « Lorsqu'un caractère naturellement chimérique et généreux découvre sur le tard que le monde est livré à l'ambition, à l'ingratitude, à la ruse, la tentation est grande, pour lui, d'entrer dans le jeu à son tour, et de le jouer avec une lucide frénésie[3]. »

LE TEXTE DES « MAXIMES »

La correspondance de La Rochefoucauld permet de considérer que les *Maximes* ont été écrites à partir de 1658 ou de 1659. Dès ce moment, l'auteur échange avec Esprit et Mme de Sablé des lettres où il est question des « sentences ». La première que donne l'édition des *Œuvres complètes* de La Rochefoucauld[4] est située entre un billet au comte de Guitaut du 22 décembre 1657 et un autre à Lenet, sans date, d'une part, et une lettre au prince de Condé datée du 23 décembre 1659, d'autre part. La Rochefoucauld écrit ceci : « Je vous envoie vos sentences d'aujourd'hui, et j'ai écrit à M. Esprit pour venir demain voir l'ouvrage tout entier [...]. » Si l'on en juge par l'édition de Hollande (voir plus bas), La Rochefoucauld n'avait pas, au départ, l'idée d'écrire tout son ouvrage sous la forme où nous le connaissons : des sentences brèves, disposées sans ordre. En effet, ce premier état des *Maximes*, pour sujet à caution qu'il soit, reste un témoignage utile. Nous voyons qu'à de brèves formules se joignaient des développements plus amples, dans le genre de la maxime 504. Ce ne serait qu'ensuite que l'auteur aurait décidé d'un changement de perspective à un double point de vue : uniquement des sentences brèves; aucun plan systématique. Ce qui, sur ce dernier point, est le plus convaincant est le rejet de la longue maxime concernant l'amour-propre dès la deuxième édition (maxime 563) : à la première, cette maxime ouvrait le recueil et, dans une certaine mesure, pouvait être considérée d'abord comme une réflexion, ensuite comme une clé de l'organisation et du dessein général de l'œuvre. Or, dès 1666, non seulement La Rochefoucauld lui enlève cette place, mais il la supprime totalement du recueil. Simultanément, dès la deuxième édition, un Avis au lecteur met l'accent sur l'absence voulue de tout ordre : « Pour ce qui est de l'ordre de ces *Réflexions*, vous n'aurez pas de peine à juger, mon cher Lecteur, que, comme elles sont toutes sur des matières différentes, il était difficile d'y en observer. Et bien

---

3. Tome IV, pages 88-89; 4. Gallimard, collection de la Pléiade, par L. Martin-Chauffier.

qu'il y en ait plusieurs sur un même sujet, on n'a pas cru les devoir mettre de suite, de crainte d'ennuyer le Lecteur, mais il les trouvera dans la table. »

Nous connaissons le texte des *Maximes* par deux manuscrits et sept éditions, dont l'édition de Hollande et une édition posthume. En voici la succession :

1° L'édition de Hollande. En 1664 paraît à La Haye, chez Jean et Daniel Steucker, une édition de *Sentences et maximes de morale*, contenant 188 maximes. Si l'on en croit l'Avis au lecteur de la première édition (1665), non seulement cette impression a été faite sans l'aveu de l'auteur, mais c'est son existence même qui aurait incité ce dernier à publier ses *Maximes* : « Il y a apparence que l'intention du peintre n'a jamais été de faire paraître cet ouvrage, et qu'il serait encore renfermé dans son cabinet, si une méchante copie qui en a couru, et qui a passé même depuis quelque temps, en Hollande, n'avait obligé un de ses amis de m'en donner une autre, qu'il dit être tout à fait conforme à l'original. » Il est difficile de juger la portée exacte de cette déclaration, ce genre d'excuse étant conforme à la tradition : un personnage tel que La Rochefoucauld ne peut « se faire imprimer tout vif » que contraint et forcé; il ne peut avoir la moindre ambition littéraire. Cela autorise certains critiques à penser que cette édition de Hollande fut un ballon d'essai, lancé par l'auteur. La chose n'est pas impossible, mais reste sans preuve;

2° Le manuscrit de Liancourt, partiellement autographe, terminé sans doute à la fin de l'année 1663, contient 272 maximes. Il est suivi de cinq éditions parues du vivant de l'auteur, de 1665 à 1678, toutes chez Claude Barbin, à Paris;

3° L'édition dite « de 1665 » — dont le privilège date du 14 janvier 1664 et l'achevé d'imprimer du 27 octobre de la même année — contient, outre 317 maximes, un Avis au lecteur et un *Discours sur les « Maximes »*, attribué à La Chapelle-Bessé et qui disparaît des éditions postérieures jusqu'à la première édition posthume, en 1693;

4° L'édition de 1666 ne contient plus que 302 maximes et comporte un Avis au lecteur de La Rochefoucauld, comme les éditions suivantes, dans lesquelles il sera légèrement retouché;

5° L'édition de 1671 contient 341 maximes;

6° L'édition de 1675 contient 413 maximes;

7° L'édition de 1678, la dernière parue du vivant de l'auteur, contient 504 maximes. C'est notre référence;

8° Enfin, en 1693 paraît, toujours chez Claude Barbin à Paris, une édition posthume des *Réflexions ou Sentences morales*, qui contient les 504 maximes de l'édition de 1678, 50 maximes supplémentaires, dont 28 posthumes, et le *Discours sur les « Maximes »*, repris de 1665;

9° A la fin du XIXᵉ siècle, pour la collection des « Grands Écrivains de France », D. L. Gilbert et J. Gourdault utilisent un manuscrit qui serait autographe, disparu depuis lors, contenant 257 maximes, dont 25 posthumes. Il est convenu d'appeler cette source *manuscrit Gilbert.*

Signalons, enfin, que la totalité des *Réflexions diverses* apparaît pour la première fois dans l'édition des *Œuvres inédites de La Rochefoucauld,* présentée par Ed. de Barthélemy (Paris, 1863).

JUSTIFICATION DE LA PRÉSENTE ÉDITION

Nous avons suivi le texte de la dernière édition parue du vivant de l'auteur, soit en 1678. Les *Maximes* sont présentées en trois groupes :

1° Les *maximes,* au nombre de 504, dans le texte de 1678 et selon l'ordre adopté dans cette édition. Ce dernier fait l'objet de sous-titres, placés entre crochets, indiquant les additions successives des groupes de maximes. Ainsi avons-nous d'abord, sans sous-titre, les maximes de l'édition de 1666, puis, signalés par un sous-titre, les groupes de maximes ajoutées en 1671, puis en 1675, enfin en 1678. Dans le cas où est insérée dans un groupe une maxime postérieure à l'édition signalée par le sous-titre, une note le précise;

2° Les *maximes posthumes,* au nombre de 58, provenant du supplément apporté par l'édition de 1693 (28 maximes nouvelles), de la correspondance de La Rochefoucauld (4 maximes), du manuscrit Gilbert (25 maximes) et une maxime (n° 562) adressée à Ninon de Lenclos et conservée par Saint-Évremond. Leur provenance est indiquée par un sous-titre entre crochets;

3° Les *maximes supprimées,* au nombre de 87, qui se divisent en deux catégories. Les premières (79) ont été retranchées au cours de l'une des éditions parues avec l'assentiment de l'auteur et de son vivant. Elles sont numérotées de 563 à 641 ; à la suite de chaque maxime figure entre parenthèses la mention de l'édition ou des éditions où cette maxime figurait; les secondes, à l'exception d'une maxime reprise du manuscrit de Liancourt (L. 241), proviennent de l'édition de Hollande. Elles sont cotées ici par l'initiale de l'édition (H.) et par le numéro d'ordre qu'elles avaient dans cette édition.

Enfin, un astérisque suit le numéro de toute maxime dont le texte n'a varié dans aucune des rédactions successives. Faute de place, nous n'avons donné les variantes qu'à titre tout à fait exceptionnel, lorsqu'en particulier elles permettaient de juger l'effort entrepris par l'auteur vers une rédaction qui le satisfasse davantage.

LA SIGNIFICATION DES « MAXIMES »

Est-il présomptueux, ou même simplement impossible, de vouloir tirer des *Maximes* une sorte de doctrine, ou plutôt d'enseignement cohérent? Si l'on en croit l'Avis au lecteur de La Rochefoucauld, il ne faut pas voir dans ce texte une sorte de traité, présenté de manière parcellaire, mais progressant par des étapes marquées vers un but, une conclusion. Néanmoins, ce même texte indique l'amour-propre comme ligne directrice; on a considéré d'autre part la maxime 563, rapidement supprimée, comme une clé à l'œuvre entière, justement écartée de la première place dans le recueil par l'auteur pour éviter de donner une impression de systématisme; enfin, on a parlé du pessimisme de La Rochefoucauld. Que peut-on répondre en fonction des *Maximes?*

Il convient d'abord de préciser que les *Maximes* sont d'abord des observations faites et qu'elles ont une valeur descriptive, non prescriptive. L'auteur, sans doute, interprète ce qu'il remarque, essaie d'expliquer les actes humains, mais il n'en tire pas une leçon qui nous soit donnée. La discontinuité des *Maximes* apporte deux correctifs encore : aucune ne peut prétendre, sous une forme lapidaire et, donc, catégorique, apporter une vérité définitive sur tel ou tel aspect de l'homme. La Rochefoucauld, d'ailleurs, au fil des éditions, corrige son texte dans un sens relativiste, ajoutant « souvent », « le plus souvent » ou telle autre atténuation de cette sorte. Ensuite, le morcellement permet sur un même sujet d'apporter plusieurs points de vue, rendant plus complexe l'image synthétique que les rapprochements permettent de construire : complémentaires, partiellement contradictoires parfois, les *Maximes* forment un tissu complexe. Elles sont d'ailleurs faites pour être lues non de manière suivie, mais individuellement, pour être méditées. Il ne s'agit pas d'accepter chacune comme une vérité toute faite; elles sont destinées à inquiéter le lecteur, à l'obliger à être lucide, à réfléchir. C'est donc au lecteur, selon son tempérament, sa clairvoyance et son expérience, à tirer le meilleur profit des *Maximes.* Si l'on veut, d'autre part, se faire une opinion sur le point de vue de l'auteur à propos de tel ou tel sujet, on peut prendre comme un tout l'ensemble des sentences se rapportant à ce sujet — ce que facilite l'Index thématique situé p. 19.

Il reste possible, toutefois, de déterminer les perspectives dans lesquelles La Rochefoucauld a écrit ses *Maximes.* Certains traits autobiographiques apparaissent incidemment dans le texte, mais ils servent plus à expliquer la remarque générale faite qu'ils ne constituent le fond même d'une sentence. L'auteur est-il pessimiste? Il lutte contre le prestige du stoïcisme (voir la maxime 504); au fil des rééditions, il élimine toute référence chrétienne. Si les *Maximes* sont souvent négatives en apparence, il faut noter pourtant qu'elles ne nient pas l'existence des vertus, ou même leur possibilité; l'auteur, en réalité, constate que, dans les faits, ce que l'on appelle telle ou telle vertu n'est que la manifestation sous une apparence vertueuse de tel défaut — l'amour-propre, souvent —, que la vertu véritable est rarement mise en pratique. Mais ce n'est là qu'une marque de lucidité et d'exigence morale : refus de prendre les apparences pour des réalités, souci de ne pas être dupe, aspiration à un idéal, dont l'Alceste de Molière, dans *le Misanthrope*, est une caricature. Pensons aussi aux conseils que donne à la future Mme de Clèves sa mère en lui décrivant la Cour; nous comprenons mieux ainsi comment, pour La Rochefoucauld, amour-propre et intérêt sont les ressorts essentiels des actes humains. « L'image de l'homme qui se dégage des *Maximes* est celle d'un être instable et déchiré, jouet de passions contraires, ignorant des forces qui le mènent, inconnaissable à soi-même comme aux autres[5]. » Mais de cet aspect négatif, fondé sur un constat assez attristant, peut naître une conclusion positive. « Admettre une fois pour toutes que l'amour-propre est l'actif foyer de nos actions, composer avec notre nature pour en tirer le meilleur parti, donner parmi les vertus le premier rang à la prudence, voilà les conclusions auxquelles aboutissait l'auteur », écrit A. Adam.

A un niveau plus élevé que cette sagesse apparente, à ras de terre et pour laquelle la prudence est fondamentale, il en est une autre, toute différente. C'est une morale héroïque, voisine de celle de Corneille, qui propose comme idéal l'« honnête homme », que toute la génération de l'auteur a contribué à construire avec conviction et amour. Lucidité et loyauté sont les deux qualités dominantes chez lui. Que l'on examine les *Maximes* en fonction du vocabulaire cornélien — en se reportant à l'étude qu'en a faite O. Nadal[6] à propos des notions de mérite, d'estime, de devoir, de vertu, de générosité et de gloire —, d'après l'Index thématique, et l'on trouvera un autre aspect de La Rochefoucauld; on comprendra alors, par référence, que la lucidité désabusée, l'acharnement à démasquer les fausses vertus répondent à une exigence très élevée, qu'ils conditionnent. De même, l'éloge de la prudence est une marque de légitime défiance à l'égard de soi-même, tant comme acteur que comme juge de ses actes et de ceux d'autrui. Sur ce point, La Rochefoucauld rejoint la préciosité, dont R. Lathuillère[7] écrit : « Passionnément éprise de qualité idéale, elle se conçoit comme une aristocratie, mais elle ne reconnaît qu'une supériorité, celle de l'esprit. »

Ainsi, La Rochefoucauld se trouve-t-il en accord avec Pascal sur l'analyse morale des actions humaines et avec Descartes sur l'importance des passions dans la vie morale. Mais il rejoint Mme de La Fayette et Corneille dans la recherche d'un idéal héroïque, accessible seulement à des êtres d'élite au prix d'un effort de volonté intense et continu.

LA FORME DES « MAXIMES »

L'ensemble des *Maximes* est plutôt une juxtaposition de formules isolées qu'un ouvrage dont on puisse juger la structure d'ensemble.

---

5. *Histoire de la littérature française au XVIIe siècle*, tome IV, page 107; 6. Voir Bibliographie, page 6; 7. Ouvr. cité, page 677.

Non seulement il n'y a aucun systématisme dans la construction, mais un groupe homogène est parfois disjoint, lors d'une réédition, par l'insertion d'une maxime hétérogène. Si l'auteur, dans son Avis au lecteur, prétend qu'il n'y a pas d'ordre dans son ouvrage et qu'« il était difficile d'y en observer », on peut penser que c'est là plus encore volonté délibérée qu'impuissance. Pourquoi ? Sans doute déjà parce qu'un contexte réduirait la portée de chaque maxime : le lecteur serait tenté, en effet, d'étudier chaque maxime par référence à celles qui l'entourent et de n'en retenir ainsi que les éléments qui s'harmonisent avec l'environnement. De plus, La Rochefoucauld met en lumière les contradictions de l'homme ; or, une structure discontinue, brisée, la juxtaposition parfois de vues contradictoires, le passage d'un thème à son opposé vont dans ce sens et illustrent par la forme même ce caractère.

Chaque maxime, étudiée en elle-même, justifie que l'on puisse parler à son propos de genre littéraire. D'une manière générale, l'auteur recherche la concision la plus grande : l'expression du maximum de sens avec le minimum de moyens d'expression. Les variantes du texte mettent souvent en évidence, de manière dynamique, la recherche par l'auteur de la formule minimale pour une idée donnée. Ce souci entraîne également des conséquences dans d'autres domaines que celui du vocabulaire — tendance au mot le plus juste — et de la grammaire — tendance à employer la structure la plus condensée : les intermédiaires du raisonnement, le contexte explicatif sont supprimés. De là découlent deux conséquences : l'impression de jaillissement que donne la maxime, instantanée par rapport à un développement dont on suit le déroulement, le choc ainsi produit ; une apparence relativement énigmatique. Mais la conséquence de cette recherche de la densité peut en réalité être aussi ce que souhaite obtenir l'auteur : piquer l'intérêt, forcer l'attention et la réflexion par une apparence imprévue, paradoxale même parfois, par une certaine obscurité volontaire à première vue.

A titre indicatif, nous indiquons certains traits de structure des *Maximes ;* il serait intéressant de diversifier et de compléter ce qui ne sera qu'esquissé ici, car une étude attentive montre une grande complexité de détail ainsi qu'une variété beaucoup plus riche qu'il n'y paraîtrait au premier abord.

LA CONSTRUCTION DES « MAXIMES »

A. Le nombre des thèmes.

Les maximes fondées sur un seul terme peuvent proposer une définition (maxime 216), un inventaire (statique : 74 ; dynamique : 10), une identification (69). D'autres se fondent sur deux termes (158) ou plus (67) et proposent une mise en relations.

B. Les procédés d'expression de l'extension.

Il peut y avoir tendance à la généralisation par l'emploi de *on* (maxime 49), de la troisième personne du singulier (*l'homme* : 43) ou du pluriel, ce qui est plus fréquent (*les hommes* : 219, 483), de *nous* (42).

Inversement, on rencontre des procédés restrictifs : La Rochefoucauld emploie des tours restrictifs (*plus ... que* : 331 ; *quelque ... que* : 52, 53) ou des adverbes de même valeur (*ne ... que* : 323 ; *ordinairement, d'ordinaire* : 146 ; *presque, quelquefois* : 329 ; *le plus souvent, souvent* : 325). Des exemples viennent aussi parfois particulariser ou restreindre la portée d'une réflexion générale.

C. Les procédés d'expression de la mise en relation.

On aura affaire, cette fois, à des comparaisons (maxime 158), à des parallélismes (479), à des antithèses (519). La Rochefoucauld use de la répétition (245) ; ou sa maxime s'équilibre sur deux membres égaux (dans un parallèle : 479 ; dans une opposition : 519) ou bien ces derniers sont inégaux (le premier est le plus court : 16 ; le second est le plus bref : 110).

D. Autres procédés.

Indépendamment de ce qui vient d'être inventorié rapidement, on trouve d'autres types de structure :

— des reprises : maximes 248 (*tout*), 250 (*dire*), 245 (*habileté*);

— des constructions fermées sur elles-mêmes, comme en cercle (maxime 254);

— des jeux sur des mots de même racine (*trompé/détrompé* dans la maxime 395), sur des contraires (*défauts/qualités*, d'une part, et *seoir/être disgracié*, d'autre part, dans la maxime 251), sur des termes de même domaine, mais en opposition (*douter/croire* dans la maxime 348), sur les personnes du discours (*on/nous* dans la maxime 363) ou sur ce à quoi la troisième personne renvoie en même temps que sur des personnes différentes (*on/nous/autres* dans la maxime 360).

INDEX THÉMATIQUE
DES « MAXIMES » DE LA ROCHEFOUCAULD

Pour différentes raisons, l'auteur s'est refusé à adopter un ordre pour la présentation de ses *Maximes*. Toutefois, le lecteur peut souhaiter soit faire une étude thématique des textes, soit rechercher l'opinion de La Rochefoucauld sur tel ou tel point. On pourra également utiliser cet Index pour retrouver une maxime en en connaissant l'idée générale, ou encore pour faire une étude statistique (puisque nous donnons le texte intégral des *Maximes*).

Figurent en gras les numéros des maximes contenant le mot vedette et centrées sur le thème correspondant; en italique les numéros des maximes où le thème est évoqué sans que le mot vedette soit exprimé; le numéro en romain maigre renvoie à une maxime où le mot vedette figure et qui évoque le thème correspondant.

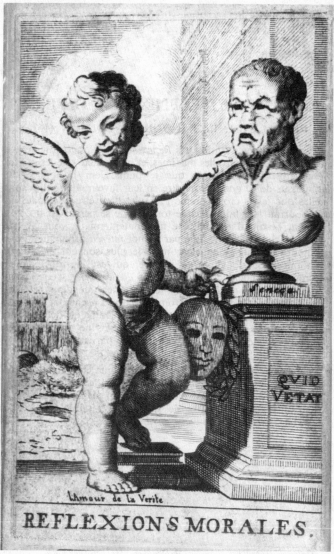

L'Amour de la Verité

REFLEXIONS MORALES.

QVID
VETAI

Frontispice de l'édition des *Maximes et Réflexions morales* de 1665.
Gravure d'Étienne Picart.

MAXIMES ET RÉFLEXIONS DIVERSES

PRÉFACE DE LA CINQUIÈME ÉDITION (1678)

Cette cinquième édition des *Réflexions* morales est augmentée de plus de cent nouvelles maximes, et plus exacte que les quatre premières. L'approbation que le public leur a donnée est au-dessus de ce que je puis dire en leur faveur. Et si elles sont telles que je les crois comme j'ai sujet d'en être persuadé, on ne pourrait leur faire plus de tort que de se persuader qu'elles eussent besoin d'apologie. Je me contenterai de vous avertir de deux choses : l'une, que par le mot *intérêt*, on n'entend pas toujours un intérêt de bien; mais le plus souvent un intérêt d'honneur ou de gloire; et l'autre, qui est la principale et comme le fondement de toutes ces *Réflexions*, est que celui qui les a faites n'a considéré les hommes que dans cet état déplorable de la nature corrompue par le péché; et qu'ainsi la manière dont il parle de ce nombre infini de défauts qui se rencontrent dans leurs vertus apparentes ne regarde point ceux que Dieu en préserve par une grâce particulière.

Pour ce qui est de l'ordre de ces *Réflexions*, vous n'aurez pas de peine à juger, mon cher Lecteur, que comme elles sont toutes sur des matières différentes, il était difficile d'y en observer. Et bien qu'il y en ait plusieurs sur un même sujet, on n'a pas cru les devoir mettre de suite, de crainte d'ennuyer le Lecteur, mais il les trouvera dans la table.

MAXIMES

MAXIMES DE 1678

EXERGUE

Nos vertus ne sont le plus souvent que des vices déguisés[b].

1. Ce que nous prenons pour des vertus n'est souvent qu'un assemblage de diverses actions et de divers intérêts que la fortune[9] ou notre industrie[10] savent arranger, et ce n'est pas toujours par valeur et par chasteté que les hommes sont vaillants et que les femmes sont chastes. **(1)**

2*. L'amour-propre[11] est le plus grand de tous les flatteurs.

3. Quelque découverte que l'on ait faite dans le pays de l'amour-propre, il y reste encore bien des terres inconnues.

4. L'amour-propre est plus habile que le plus habile homme du monde. **(2)**

5*. La durée de nos passions ne dépend pas plus de nous que la durée de notre vie.

---

8. Maxime ajoutée dans l'édition de 1675; **9.** *Fortune* : bonne ou mauvaise chance; **10.** *Industrie* : habileté; **11.** *Amour-propre* : égoïsme (au sens fort).

--------- QUESTIONS ---------

1. Indiquez le thème de ces deux premières maximes. Dans quelle mesure l'Exergue donne-t-il le ton du recueil entier? — D'après la maxime 1, quels sont les deux éléments qui domineraient la vie morale? Est-ce inexact, partiellement ou totalement vrai? Peut-on parler de lucidité seulement ou de pessimisme ici? Rapprochez de cette première maxime la maxime 631.

2. L'amour-propre : en vous référant à la maxime 563, tentez de le définir, d'en indiquer l'importance comme mobile des actions humaines pour l'auteur. Utilité de cette maxime supprimée pour comprendre l'esprit du recueil; pourquoi La Rochefoucauld a-t-il retranché dès la deuxième édition cette dissertation sur l'amour-propre? — En quoi les maximes 2 et 4 se complètent-elles? Justifiez par des exemples et en vous référant à la maxime 563 la maxime 3. — Quel aspect nouveau de l'amour-propre apparaît avec la maxime 13? Rapprochez de la maxime 604.

6. La passion fait souvent un fou du plus habile homme et rend souvent les plus sots habiles.

7. Ces grandes et éclatantes actions qui éblouissent les yeux sont représentées par les politiques comme les effets des grands desseins, au lieu que ce sont d'ordinaire les effets de l'humeur et des passions. Ainsi la guerre d'Auguste et d'Antoine[12], qu'on rapporte à l'ambition qu'ils avaient de se rendre maîtres du monde, n'était peut-être qu'un effet de jalousie.

8. Les passions sont les seuls orateurs qui persuadent toujours. Elles sont comme un art de la nature dont les règles sont infaillibles; et l'homme le plus simple qui a de la passion persuade mieux que le plus éloquent qui n'en a point.

9. Les passions ont une injustice et un propre intérêt qui fait qu'il est dangereux de les suivre, et qu'on s'en doit défier, lors même qu'elles paraissent les plus raisonnables.

10. Il y a dans le cœur humain une génération[13] perpétuelle de passions, en sorte que la ruine de l'une est presque toujours l'établissement d'une autre.

11. Les passions en engendrent souvent qui leur sont contraires : l'avarice[14] produit quelquefois la prodigalité, et la prodigalité l'avarice; on est souvent ferme par faiblesse, et audacieux par timidité.

12. Quelque soin que l'on prenne de couvrir ses passions par des apparences de piété et d'honneur, elles paraissent toujours au travers de ces voiles. (3)

13*. Notre amour-propre[15] souffre plus impatiemment la condamnation de nos goûts que de nos opinions.

14. Les hommes ne sont pas seulement sujets à perdre le souvenir des bienfaits et des injures : ils haïssent même ceux qui

---

12. *Auguste :* empereur romain (63 av. J.-C. - 14 apr. J.-C.) après sa victoire d'*Actium* contre *Antoine* (31 av. J.-C.), avec qui il partageait le pouvoir; 13. *Génération :* naissance; 14. *Avarice :* rapacité (sens fort); 15. *Amour-propre :* voir la maxime 2 et la note 11.

——— **QUESTIONS** ———

Questions 3, v. p. 27.

les ont obligés, et cessent de haïr ceux qui leur ont fait des outrages. L'application à récompenser le bien, et à se venger du mal, leur paraît une servitude à laquelle ils ont peine de se soumettre.

15. La clémence des princes n'est souvent qu'une politique pour gagner l'affection des peuples.

16. Cette clémence, dont on fait une vertu, se pratique tantôt par vanité, quelquefois par paresse, souvent par crainte, et presque toujours par tous les trois ensemble.

17. La modération des personnes heureuses vient du calme que la bonne fortune[16] donne à leur humeur.

18. La modération est une crainte de tomber dans l'envie et dans le mépris que méritent ceux qui s'enivrent de leur bonheur; c'est une vaine ostentation de la force de notre esprit; et enfin la modération des hommes dans leur plus haute élévation est un désir de paraître plus grands que leur fortune[17]. **(4)**

---

16. *Bonne fortune* : chance (au sens favorable); 17. *Fortune* : voir la maxime 1 et la note 9.

─────── **QUESTIONS** ───────

3. Les passions : d'après ces quelques maximes, essayez d'en dégager les caractères essentiels : force, influence, multiplicité; apparaissent-elles toujours pernicieuses? D'après la maxime 5, quel pouvoir aurait la volonté sur elles? — La maxime 6 : sa structure; le jeu sur les nuances : *fou, sot*. Le mot *habile* a-t-il exactement la même valeur dans les deux parties de la maxime? — D'après la maxime 7, comment l'amour-propre interfère-t-il avec les passions et les « grands desseins »? — Rapprochez la maxime 8 de Pascal, *Pensées*, n° 513 (« Nouveaux Classiques Larousse », page 33) : « La vraie éloquence se moque de l'éloquence. » — Comment les maximes 10 et 11 sont-elles complétées par celle-ci, du chevalier de Méré : « C'est toujours un bon moyen pour vaincre une passion que de la combattre par une autre »?

4. Quelle relation existe-t-il entre *clémence* et *modération*? Montrez qu'ici, comme dans les maximes suivantes consacrées à la *constance*, c'est essentiellement le stoïcisme qui est visé. Relevez dans les maximes 15 à 17 les différents mobiles que La Rochefoucauld donne à la clémence; rapprochez celle-ci de la maxime 15 d'Auguste, dans le *Cinna* de Corneille, et de l'interprétation que donnait Napoléon Ier de son geste (voir dans les Jugements sur cette pièce, « Nouveaux Classiques Larousse », pages 118 et 119). — Contradictions et complémentarité des maximes 17 et 18. Rapprochez de cette dernière les maximes 565, 566 et 593. — Quel autre aspect de la modération oppose la maxime 610?

19*. Nous avons tous assez de force pour supporter les maux d'autrui.

20. La constance des sages n'est que l'art de renfermer leur agitation dans le cœur.

21. Ceux qu'on condamne au supplice affectent quelquefois une constance et un mépris de la mort qui n'est en effet[18] que la crainte de l'envisager[19]; de sorte qu'on peut dire que cette constance et ce mépris sont à leur esprit ce que le bandeau est à leurs yeux.

22. La philosophie triomphe aisément des maux passés et des maux à venir, mais les maux présents triomphent d'elle.

23. Peu de gens connaissent la mort : on ne la souffre[20] pas ordinairement par résolution, mais par stupidité et par coutume, et la plupart des hommes meurent parce qu'on ne peut s'empêcher de mourir.

24. Lorsque les grands hommes se laissent abattre par la longueur de leurs infortunes, ils font voir qu'ils ne les soutenaient[21] que par la force de leur ambition, et non par celle de leur âme, et qu'à une grande vanité près, les héros sont faits comme les autres hommes.

25. Il faut de plus grandes vertus pour soutenir la bonne fortune[22] que la mauvaise.

26*. Le soleil ni la mort ne se peuvent regarder fixement. **(5)**

27. On fait souvent vanité des passions même les plus criminelles, mais l'envie est une passion timide et honteuse que l'on n'ose jamais avouer.

28. La jalousie[23] est, en quelque manière, juste et raisonnable, puisqu'elle ne tend qu'à conserver un bien qui nous appartient

---

18. *En effet :* dans la réalité; **19.** *Envisager :* regarder en face; **20.** *Souffrir :* supporter; **21.** *Soutenir :* supporter; **22.** *Fortune :* voir la maxime 1 et la note 9; **23.** *Jalousie :* passion exclusive à l'égard de ce que l'on possède.

———— QUESTIONS ————

Questions 5, v. p. 29.

ou que nous croyons nous appartenir, au lieu que l'envie est une fureur qui ne peut souffrir le bien des autres.

29. Le mal que nous faisons ne nous attire pas tant de persécution et de haine que nos bonnes qualités[24].

30. Nous avons plus de force[25] que de volonté, et c'est souvent pour nous excuser à nous-mêmes que nous nous imaginons que les choses sont impossibles.

31. Si nous n'avions point de défauts, nous ne prendrions pas tant de plaisir à en remarquer dans les autres.

32. La jalousie se nourrit dans les doutes, et elle devient fureur[26], ou elle finit, sitôt qu'on passe du doute à la certitude. **(6)**

33. L'orgueil se dédommage toujours et ne perd rien, lors même qu'il renonce à la vanité.

34*. Si nous n'avions point d'orgueil, nous ne nous plaindrions pas de celui des autres.

---

24. *Qualité* : disposition de cœur ou d'âme, qui peut être bonne ou mauvaise; 25. *Force* : violence (au sens propre ou figuré); 26. *Fureur* : passion violente.

───── **QUESTIONS** ─────

5. D'après ce groupe de maximes essayez de définir la constance; montrez qu'ici encore le stoïcisme est visé. Déterminez pourquoi on a pu appeler *épigramme* la maxime 19. Discutez la valeur de la maxime 20. Recherchez chez des auteurs autres que La Rochefoucauld, eux aussi préoccupés de l'attitude à adopter en face de la mort, des textes qui témoignent de leur opinion sur ce point; en particulier attachez-vous à l'évolution de la pensée de Montaigne à ce sujet. — Analysez la maxime 22 : signification, portée de la condamnation; montrez qu'elle complète la maxime 19 en découvrant un autre aspect de l'illusion qu'apporte cette constance. — La maxime 25 : apparence paradoxale; justesse profonde. — De la maxime 26, A. Gide écrivait : « Elle est indigne d'une âme forte et même simplement d'un esprit bien fait » (*Journal*, 10 janvier 1925). Distinguez les deux points de vue en présence. — Rapprochez de ce groupe la maxime 589.

6. Envie et jalousie : points communs et différences d'après ces maximes. — Quel lien existe entre la maxime 30 et celles qui l'entourent? Appréciez la justesse de cette constatation et sa valeur explicative de bien des renoncements d'apparence imprévue. — Dans quelle mesure peut-on retourner contre l'auteur la maxime 31? Celle-ci en perd-elle sa justesse? Comment se rattache-t-elle au groupe dans lequel elle est insérée?

Portrait de La Rochefoucauld.

35. L'orgueil est égal dans tous les hommes, et il n'y a de différence qu'aux[27] moyens et à la manière de le mettre au jour[28].

36. Il semble que la nature, qui a si sagement disposé les organes de notre corps pour nous rendre heureux, nous ait aussi donné l'orgueil pour nous épargner la douleur de connaître nos imperfections.

37. L'orgueil a plus de part que la bonté aux remontrances que nous faisons à ceux qui commettent des fautes, et nous ne les reprenons pas tant pour les en corriger, que pour leur persuader que nous en sommes exempts. (7)

38*. Nous promettons selon nos espérances, et nous tenons selon nos craintes.

39. L'intérêt parle toutes sortes de langues, et joue toutes sortes de personnages, même celui de désintéressé.

40. L'intérêt, qui aveugle les uns, fait la lumière des autres.

41. Ceux qui s'appliquent trop aux petites choses deviennent ordinairement incapables des grandes.

42. Nous n'avons pas assez de force pour suivre toute notre raison.

43. L'homme croit souvent se conduire lorsqu'il est conduit, et pendant que par son esprit il tend à un but, son cœur l'entraîne insensiblement à un autre.

---

27. *À* : dans; **28.** *Mettre au jour :* faire apparaître.

QUESTIONS

7. Orgueil et vanité : établissez la distinction en utilisant en particulier la maxime 33. Analysez la différenciation faite entre les hommes, les conflits suggérés par les maximes 34 et 35. — La maxime 36 : étudiez l'éloge apparent de la *nature*, dont vous préciserez le sens; en quoi est-ce là une réduction mécaniste qui paraît dénier toute valeur à l'effort moral? Montrez qu'en fait La Rochefoucauld tient à mettre en relief l'importance objective de l'orgueil et qu'il ne fait pas l'éloge de notre harmonie naturelle. — Vérité générale de la maxime 37; voyez-vous des nuances ou des correctifs à y apposer?

44. La force et la faiblesse de l'esprit sont mal nommées; elles ne sont, en effet[29], que la bonne ou la mauvaise disposition des organes du corps. **(8)**

45. Le caprice de notre humeur est encore plus bizarre que celui de la fortune[30].

46. L'attachement ou l'indifférence que les philosophes avaient pour la vie n'était qu'un goût de leur amour-propre[31], dont on ne doit non plus disputer que du goût de la langue, ou du choix des couleurs.

47*. Notre humeur met le prix à tout ce qui nous vient de la fortune.

48. La félicité est dans le goût, et non pas dans les choses; et c'est par avoir ce qu'on aime qu'on est heureux, et non par avoir ce que les autres trouvent aimable[32].

49. On n'est jamais si heureux ni si malheureux qu'on s'imagine.

50. Ceux qui croient avoir du mérite se font un honneur d'être malheureux, pour persuader aux autres et à eux-mêmes qu'ils sont dignes d'être en butte à la fortune.

51. Rien ne doit tant diminuer la satisfaction que nous avons de nous-mêmes que de voir que nous désapprouvons dans un temps ce que nous approuvions dans un autre. **(9)**

---

29. *En effet :* voir la maxime 21 et la note 18; **30.** *Fortune :* voir la maxime 1 et la note 9; **31.** *Amour-propre :* voir la maxime 2 et la note 11; **32.** *Aimable :* digne d'être aimé, apprécié.

--- **QUESTIONS** ---

8. Le « matérialisme » de La Rochefoucauld d'après ce passage et les maximes 613 et 625 : étudiez en particulier les maximes 38, 43 et 44. A quoi se rattachent les élans du *cœur* selon l'auteur (maxime 43)? Montrez qu'il y a une part de vérité dans la maxime 44; quel danger courrait-on à prendre cette réflexion au pied de la lettre? — Expliquez la maxime 42; en renversant la formule, obtient-on une observation plus juste? — En quel sens et dans quelles limites la maxime 41 peut-elle être juste? On a voulu y voir une réflexion critique sur les Frondeurs : précisez en quoi elle peut être appliquée à ces derniers. Rapprochez-la de la maxime 569. — Même travail concernant la maxime 38 et Mazarin.

Questions 9, v. p. 33.

52. Quelque différence qui paraisse entre les fortunes[33], il y a néanmoins une certaine compensation de biens et de maux qui les rend égales.

53. Quelques grands avantages que la nature donne, ce n'est pas elle seule, mais la fortune avec elle qui fait les héros.

54. Le mépris des richesses était dans les philosophes un désir caché de venger leur mérite de l'injustice de la fortune, par le mépris des mêmes biens dont elle les privait; c'était un secret pour se garantir de l'avilissement de la pauvreté; c'était un chemin détourné pour aller à la considération qu'ils ne pouvaient avoir par les richesses.

55. La haine pour les favoris n'est autre chose que l'amour de la faveur. Le dépit de ne la pas posséder se console et s'adoucit par le mépris que l'on témoigne de ceux qui la possèdent; et nous leur refusons nos hommages, ne pouvant pas leur ôter ce qui leur attire ceux de tout le monde.

56. Pour s'établir dans le monde, on fait tout ce que l'on peut pour y paraître établi.

57. Quoique les hommes se flattent de leurs grandes actions, elles ne sont pas souvent les effets d'un grand dessein, mais des effets du hasard.

58. Il semble que nos actions aient des étoiles heureuses ou malheureuses, à qui elles doivent une grande partie de la louange et du blâme qu'on leur donne.

---

33. *Fortune* : voir la maxime 1 et la note 9.

─────── **QUESTIONS** ───────

9. En quoi consiste l'unité possible de ces maximes? De quoi dépendent *goûts* et *humeur*? Montrez que, sur ce plan, la maxime 44 fait transition. — Rapprochez la maxime 46 des maximes 21, 23, 26 et 504 : points communs; différences. — Importance attachée à la subjectivité dans tout ce passage. Comparez la maxime 49 à la maxime 572 : supériorité de la version retenue par l'auteur. Faites la même comparaison entre les maximes 50, 51 et 570, 571 et 573. — Les mots clefs de la maxime 50 : les deux pôles de l'oscillation; l'enjeu; le terme déterminant le déséquilibre final en faveur de l'un des pôles. Pourquoi est-ce ce dernier qui n'est pas nommément exprimé?

59. Il n'y a point d'accidents[34] si malheureux dont les habiles gens ne tirent quelque avantage, ni de si heureux que les imprudents ne puissent tourner à leur préjudice.

60. La fortune[35] tourne tout à l'avantage de ceux qu'elle favorise.

61*. Le bonheur et le malheur des hommes ne dépend pas moins de leur humeur que de la fortune. **(10)**

62. La sincérité est une ouverture de cœur. On la trouve en fort peu de gens, et celle que l'on voit d'ordinaire n'est qu'une fine dissimulation, pour attirer la confiance des autres.

63. L'aversion du mensonge est souvent une imperceptible ambition de rendre nos témoignages considérables, et d'attirer à nos paroles un respect de religion.

64. La vérité ne fait pas tant de bien dans le monde que ses apparences y font du mal. **(11)**

---

34. *Accident* : événement; 35. *Fortune* : voir la maxime 1 et la note 9.

——————— **QUESTIONS** ———————

10. Comment pourrait-on définir la *fortune* d'après ce groupe de maximes : nature, différence avec la *nature*, effets? N'apparaît-il pas ici que le terme recouvre des choses différentes? Opposez la maxime 52 aux maximes 55 et 56. — L'argument des compensations (maxime 52) vous paraît-il acceptable? Comparez avec Voltaire, *Zadig* (chapitre de « l'Ermite »), en soulignant la différence de perspective : ici, constatation; chez Voltaire, explication lénifiante des malheurs humains. — Peut-on réduire la philosophie des stoïciens à ce que propose la maxime 54? Celle-ci est-elle en totalité improbable? Quelle raison peut pousser La Rochefoucauld à s'acharner ainsi contre le stoïcisme, point de référence des libertins, quand, par ailleurs, il ne paraît pas accorder beaucoup au christianisme? Rapprochez son attitude du jansénisme pascalien. — Cherchez les similitudes entre les maximes 54 et 55. — Étudiez en parallèle les maximes 53, 57, 58, 59, 60 et 61 : en quoi se corrigent-elles et se complètent-elles? Que peut-on en déduire sous forme globale?

11. Comparez la maxime 62 à celle-ci d'un contemporain, J. Esprit : « La sincérité est une ouverture de cœur qui tend à nous ouvrir celui de nos amis, ou une franchise habile [...]. » Les points communs, notamment dans la satire d'une pratique courante; le sens plus grand des nuances chez La Rochefoucauld. Rapprochez de la maxime 64. — Le rôle de l'amour-propre dans la maxime 63.

65. Il n'y a point d'éloges qu'on ne donne à la prudence[36]; cependant elle ne saurait nous assurer du moindre événement.

66. Un habile homme doit régler le rang de ses intérêts, et les conduire chacun dans son ordre; notre avidité le trouble souvent, en nous faisant courir à tant de choses à la fois, que pour désirer trop les moins importantes, on manque les plus considérables.

67*. La bonne grâce est au corps ce que le bon sens est à l'esprit. **(12)**

68. Il est difficile de définir l'amour : ce qu'on en peut dire est que, dans l'âme, c'est une passion de régner; dans les esprits, c'est une sympathie; et dans le corps, ce n'est qu'une envie cachée et délicate de posséder ce que l'on aime après beaucoup de mystères.

69. S'il y a un amour pur et exempt du mélange de nos autres passions, c'est celui qui est caché au fond du cœur, et que nous ignorons nous-mêmes.

70*. Il n'y a point de déguisement qui puisse longtemps cacher l'amour où il est, ni le feindre où il n'est pas.

71*. Il n'y a guère de gens qui ne soient honteux de s'être aimés, quand ils ne s'aiment plus[37].

72. Si on juge de l'amour par la plupart de ses effets, il ressemble plus à la haine qu'à l'amitié[38].

73. On peut trouver des femmes qui n'ont jamais eu de galan-

---

36. *Prudence* : sagesse; **37.** Maxime ajoutée dans l'édition de 1678; **38.** *Amitié* : affection.

─────── **QUESTIONS** ───────

12. Y a-t-il quelque chose de commun à ces trois maximes? Sens de la notion de *prudence*, compte tenu de son environnement ici; relations avec la notion d'*habileté*, avec celle de *bon sens*. Quelle interprétation peut-on donner de la *bonne grâce* dans la maxime 67, étant donné la part d'habileté, d'équilibre, d'aisance et de naturel qui entre dans la notion de *bon sens* ici?

terie[39], mais il est rare d'en trouver qui n'en aient jamais eu qu'une.

74. Il n'y a que d'une sorte d'amour, mais il y en a mille différentes copies.

75*. L'amour, aussi bien que le feu, ne peut subsister sans un mouvement continuel, et il cesse de vivre dès qu'il cesse d'espérer ou de craindre.

76. Il est du véritable amour comme de l'apparition des esprits : tout le monde en parle, mais peu de gens en ont vu.

77. L'amour prête son nom à un nombre infini de commerces[40] qu'on lui attribue, et où il n'a non plus de part que le Doge[41] à ce qui se fait à Venise. **(13)**

78. L'amour de la justice n'est, en la plupart des hommes, que la crainte de souffrir[42] l'injustice. **(14)**

79*. Le silence est le parti le plus sûr de celui qui se défie de soi-même.

80. Ce qui nous rend si changeants dans nos amitiés, c'est qu'il est difficile de connaître les qualités de l'âme, et facile de connaître celles de l'esprit.

---

39. Galanterie : liaison; *40. Commerce :* relation; *41. Doge :* chef de la république de Venise ou de Gênes; *42. Souffrir :* voir la maxime 23 et la note 20.

--- **QUESTIONS** ---

13. Répartissez les différentes maximes de ce passage d'après leur point d'application. Étudiez la maxime 68 : importance, netteté, caractère complet; montrez-en la justesse et mettez en relief ce qui porte la marque des doctrines précieuses. Rapprochez-la de la maxime 576. — Signification de la maxime 69 : cet amour existe-t-il? Pourquoi ne peut-il être pur que tant qu'il reste virtuel? Rapprochez cette maxime des maximes 70, 74 et 77. Pourquoi, dans ces conditions, le pessimisme de la maxime 76? — L'amour comme passion : la maxime 72; quels compléments apportent sur ce point, dans des ordres que vous préciserez, les maximes 71 et 73? Rapprochez les maximes 70 et 73 de la maxime 77. Comparez les maximes 72 et 111 : laquelle vous paraît la plus réussie? — L'apport complémentaire de la maxime 581.

14. Rapprochez cette maxime des maximes 578, 579 et 580.

Flatterie
qui porte l'Orgueil
se regarde
dans un miroir.

Miniature
d'un manuscrit
du XIVᵉ s.
Paris,
bibliothèque
Sainte-Geneviève.

Phot. Giraudon.

81*. Nous ne pouvons rien aimer que par rapport à nous, et nous ne faisons que suivre notre goût et notre plaisir quand nous préférons nos amis à nous-mêmes; c'est néanmoins par cette préférence seule que l'amitié peut être vraie et parfaite[43].

82. La réconciliation avec nos ennemis n'est qu'un désir de rendre notre condition meilleure, une lassitude de la guerre, et une crainte de quelque mauvais événement.

83. Ce que les hommes ont nommé amitié n'est qu'une société, qu'un ménagement réciproque d'intérêts, et qu'un échange de bons offices; ce n'est enfin qu'un commerce[44] où l'amour-propre[45] se propose toujours quelque chose à gagner[46].

84*. Il est plus honteux de se défier de ses amis que d'en[47] être trompé.

85. Nous nous persuadons souvent d'aimer les gens plus puissants que nous, et néanmoins c'est l'intérêt seul qui produit notre amitié. Nous ne nous donnons pas à eux pour le bien que nous leur voulons faire, mais pour celui que nous en voulons recevoir.

86*. Notre défiance justifie la tromperie d'autrui.

87*. Les hommes ne vivraient pas longtemps en société, s'ils n'étaient les dupes les uns des autres[48].

88. L'amour-propre nous augmente ou nous diminue les bonnes qualités de nos amis à proportion de la satisfaction que nous avons d'eux; et nous jugeons de leur mérite par la manière dont ils vivent avec nous. **(15)**

89. Tout le monde se plaint de sa mémoire, et personne ne se plaint de son jugement.

---

43. Maxime ajoutée dans l'édition de 1678; **44.** *Commerce :* voir la maxime 77 et la note 40; noter cependant ici une nuance moderne donnée par le verbe *gagner ;* **45.** *Amour-propre :* voir la maxime 2 et la note 11; **46.** Maxime ajoutée dans l'édition de 1678; **47.** *En* pouvait, en langue classique, représenter une personne; **48.** Maxime ajoutée dans l'édition de 1678.

QUESTIONS

Questions 15, v. p. 39.

90. Nous plaisons plus souvent dans le commerce[49] de la vie par nos défauts que par nos bonnes qualités[50].

91*. La plus grande ambition n'en a pas la moindre apparence, lorsqu'elle se rencontre dans une impossibilité absolue d'arriver où elle aspire.

92. Détromper un homme préoccupé[51] de son mérite est lui rendre un aussi mauvais office que celui que l'on rendit à ce fou d'Athènes qui croyait que tous les vaisseaux qui arrivaient dans le port étaient à lui.

93*. Les vieillards aiment à donner de bons préceptes, pour se consoler de n'être plus en état de donner de mauvais exemples.

94*. Les grands noms abaissent au lieu d'élever ceux qui ne les savent pas soutenir[52].

95*. La marque d'un mérite extraordinaire est de voir que ceux qui l'envient le plus sont contraints de le louer.

96*. Tel homme est ingrat, qui est moins coupable de son ingratitude que celui qui lui a fait du bien[53].

97. On s'est trompé lorsqu'on a cru que l'esprit[54] et le juge-

---

49. *Commerce* : voir la maxime 77 et la note 40; 50. *Qualité* : voir la maxime 29 et la note 24; 51. *Préoccupé* : animé d'un préjugé favorable à l'égard de...; 52. *Soutenir* : porter dignement; 53. Maxime ajoutée dans l'édition de 1678; 54. *Esprit* : intelligence.

──────── **QUESTIONS** ────────

15. Quelle définition peut-on donner d'après ce passage? Relation avec l'amour, d'une part, et avec l'affection, d'autre part. D'après la maxime 80, quels sont le sens et la portée de la distinction entre *âme* et *esprit*? Rapport avec la versatilité. Analysez le sens de la maxime 81 : rôle de l'amour-propre. L'amitié *vraie et parfaite* est-elle compatible avec l'amour-propre? A quelle condition? Le rapprochement entre les deux n'est-il pas une rencontre à la limite, frôlant le paradoxe? Rapprochez la maxime 82 de celles qui traitent de la clémence (15 à 19); en quoi, néanmoins, est-elle liée à l'amitié? — Étudiez en parallèle les maximes 83 et 88 : ce pessimisme est-il incompatible avec l'idée qu'une *vraie et parfaite* amitié soit possible? Comparez avec les maximes concernant l'amour. La vie de cour, évoquée dans les maximes 85 et 87, n'éclaire-t-elle pas cette opposition apparente, tandis que les maximes 84 et 86 se placent sur un plan moral et non plus d'observation plus généreux?

ment étaient deux choses différentes : le jugement n'est que la grandeur de la lumière de l'esprit; cette lumière pénètre le fond des choses, elle y remarque tout ce qu'il faut remarquer, et aperçoit celles qui semblent imperceptibles. Ainsi il faut demeurer d'accord que c'est l'étendue de la lumière de l'esprit qui produit tous les effets qu'on attribue au jugement. **(16)**

98*. Chacun dit du bien de son cœur, et personne n'en ose dire de son esprit.

99. La politesse de l'esprit consiste à penser des choses honnêtes et délicates.

100. La galanterie⁵⁵ de l'esprit est de dire des choses flatteuses d'une manière agréable⁵⁶.

101. Il arrive souvent que des choses se présentent plus achevées à notre esprit qu'il ne les pourrait faire avec beaucoup d'art.

102. L'esprit est toujours la dupe du cœur.

103. Tous ceux qui connaissent leur esprit ne connaissent pas leur cœur. **(17)**

---

55. *Galanterie* a ici le sens de « raffinement »; 56. Variantes : manuscrit Liancourt (1663) et Hanoteau (début du XVIII⁰ siècle) : « La galanterie de l'esprit est un tour de l'esprit par lequel il pénètre et conçoit les choses les plus flatteuses, c'est-à-dire celles qui sont le plus capables de plaire aux autres. » 1663 : comme Liancourt, sauf : « il pénètre les choses » et « les plus capables ». Hollande (1664) : « La galanterie est un tour de l'esprit, par lequel il pénètre les choses les plus flatteuses, c'est-à-dire celles qui sont les plus capables de plaire. » 1665 : comme Liancourt, sauf : « par lequel il entre dans les choses ».

--- **QUESTIONS** ---

16. Définissez la notion de jugement en utilisant les maximes 89 et 97. Expliquez le sens de la première; à quoi tient le trait d'esprit qu'elle contient? Dans le manuscrit se trouvait ajouté ce passage : « parce que tout le monde croit en avoir beaucoup` ». Justifiez la suppression; que témoigne ce remaniement de la technique de l'écrivain? — Rapprochez la maxime 90 de la maxime 273. — Le caractère satirique de la maxime 93.

17. Quel est le sens de la distinction faite ici entre *esprit* et *cœur*? Symétrie de forme entre les maximes 89 et 98. Étude comparative des maximes 99 et 100. En utilisant les variantes données en note à propos de la maxime 100, montrez comment La Rochefoucauld recherche la densité : le mot juste, la suppression de ce qui est accessoire. — Signification exacte de la maxime 102; en quoi peut-il y avoir « duperie »?

104. Les hommes et les affaires ont leur point de perspective; il y en a qu'il faut voir de près, pour en bien juger; et d'autres dont on ne juge jamais si bien que quand on en est éloigné.

105. Celui-là n'est pas raisonnable à qui le hasard fait trouver la raison, mais celui qui la connaît, qui la discerne et qui la goûte.

106. Pour bien savoir les choses, il en faut savoir le détail, et comme il est presque infini, nos connaissances sont toujours superficielles et imparfaites. **(18)**

107*. C'est une espèce de coquetterie de faire remarquer qu'on n'en fait jamais.

108*. L'esprit ne saurait jouer longtemps le personnage du cœur.

109. La jeunesse change ses goûts par l'ardeur du sang, et la vieillesse conserve les siens par l'accoutumance.

110. On ne donne rien si libéralement que ses conseils.

111*. Plus on aime une maîtresse[57], et plus on est prêt de la haïr.

112*. Les défauts de l'esprit augmentent en vieillissant, comme ceux du visage.

113*. Il y a de bons mariages, mais il n'y en a point de délicieux.

114. On ne se peut consoler d'être trompé par ses ennemis et trahi par ses amis, et l'on est souvent satisfait de l'être par soi-même.

---

57. *Maîtresse* : personne que l'on aime et dont on est aimé.

──────── **QUESTIONS** ────────

18. Connaissance et raison : en quoi la maxime 103 annonce-t-elle ce thème? Quelles sont, d'après ce passage, les idées de La Rochefoucauld sur ce point? Que veut-il dire (maxime 104)? Cherchez des exemples concrets qui illustrent ce point de vue. Le rôle de l'effort personnel par rapport à la *nature* et à la *fortune* dans la maxime 105. Doit-on conclure à l'impossibilité de la connaissance ou à la prudence dans tout jugement porté d'après la maxime 106?

115. Il est aussi facile de se tromper soi-même sans s'en apercevoir, qu'il est difficile de tromper les autres sans qu'ils s'en aperçoivent.

116. Rien n'est moins sincère que la manière de demander et de donner des conseils : celui qui en demande paraît avoir une déférence respectueuse pour les sentiments[58] de son ami, bien qu'il ne pense qu'à lui faire approuver les siens, et à le rendre garant de sa conduite; et celui qui conseille paye la confiance qu'on lui témoigne d'un zèle ardent et désintéressé, quoiqu'il ne cherche le plus souvent, dans les conseils qu'il donne, que son propre intérêt ou sa gloire.

117. La plus subtile de toutes les finesses[59] est de savoir bien feindre de tomber dans les pièges que l'on nous tend, et on n'est jamais si aisément trompé que quand on songe à tromper les autres.

118*. L'intention de ne jamais tromper nous expose à être souvent trompés.

119. Nous sommes si accoutumés à nous déguiser aux autres, qu'enfin[60] nous nous déguisons à nous-mêmes.

120. L'on fait plus souvent des trahisons par faiblesse que par un dessein formé[61] de trahir.

121. On fait souvent du bien pour pouvoir impunément faire du mal. **(19)**

122*. Si nous résistons à nos passions, c'est plus par leur faiblesse que par notre force.

123*. On n'aurait guère de plaisir si on ne se flattait jamais.

124. Les plus habiles affectent toute leur vie de blâmer les finesses, pour s'en servir en quelque grande occasion et pour quelque grand intérêt.

---

58. *Sentiment* : opinion; **59.** *Finesse* : ruse; **60.** *Enfin* : finalement, en conclusion; **61.** *Formé* : délibéré.

───── **QUESTIONS** ─────

Questions 19, v. p. 43.

125. L'usage ordinaire[62] de la finesse[63] est la marque d'un petit esprit, et il arrive presque toujours que celui qui s'en sert pour se couvrir en un endroit, se découvre en un autre.

126. Les finesses et les trahisons ne viennent que de manque d'habileté.

127. Le vrai moyen d'être trompé, c'est de se croire plus fin que les autres.

128. La trop grande subtilité est une fausse délicatesse, et la véritable délicatesse est une solide subtilité.

129. Il suffit quelquefois d'être grossier[64] pour n'être pas trompé par un habile homme. **(20)**

130*. La faiblesse est le seul défaut que l'on ne saurait corriger.

---

62. *Ordinaire* : habituel; **63.** *Finesse* : voir la maxime 117 et la note 59; **64.** *Grossier* : dépourvu de finesse.

─── **QUESTIONS** ───

19. Montrez que la notion de tromperie apparaît dans les maximes 107 et 108. Y est-elle intentionnelle? Rapprochez la maxime 112 des maximes 110 et 93 : en quoi l'unité est-elle due à la notion de vieillissement, liée aux défauts d'esprit? Comment la maxime 109 se rattache-t-elle à ce groupe? — L'opposition entre le jugement et le goût dans la maxime 113. Ce genre de réflexion est-il original? Rapprochez de Marivaux, *le Jeu de l'amour et du hasard*, I, 1, « Nouveaux Classiques Larousse », lignes 36-40 et 65-86. — Analysez la technique littéraire de La Rochefoucauld d'après la structure de la maxime 115. Par quels moyens l'auteur nous rend-il l'attitude des deux interlocuteurs mis en scène à la maxime 116? Importance de *paraît*, opposé à *ne pense qu'à*, de *paye* par rapport à *ne cherche ... que*. Comment le style souligne-t-il le double jeu d'opposition? S'agit-il ici d'une maxime ou plutôt d'une réflexion à partir d'une observation faite? — Les divers aspects de la tromperie d'après les maximes 117 à 121. Montrez que la subtilité de la pensée et de l'expression se moule sur le sujet traité dans la maxime 117. — Le jeu actif/passif dans les maximes 118 et 119. Le pessimisme de la maxime 121 vous paraît-il entièrement fondé ou bien se justifie-t-il surtout par le milieu que connaissait l'auteur?

20. Qu'apporte la notion de *finesse* à celle de *tromperie*? Quelle est la place de l'*habileté* ici d'après les maximes 124, 125 et 126? *Habile* n'a-t-il pas une valeur plus péjorative dans la maxime 129? En quoi la *force* d'esprit s'oppose-t-elle à la *finesse*? Rapprochez les maximes 127 et 129. — Analysez la construction de la maxime 128; en quoi sa structure, savante à l'extrême, est-elle en harmonie avec l'idée exprimée?

131*. Le moindre défaut des femmes qui se sont abandonnées à faire l'amour[65], c'est de faire l'amour.

132. Il est plus aisé d'être sage pour les autres que de l'être pour soi-même. **(21)**

133. Les seules bonnes copies sont celles qui nous font voir le ridicule des méchants[66] originaux.

134. On n'est jamais si ridicule par les qualités que l'on a que par celles que l'on affecte d'avoir. **(22)**

135. On est quelquefois aussi différent de soi-même que des autres.

136*. Il y a des gens qui n'auraient jamais été amoureux, s'ils n'avaient jamais entendu parler de l'amour.

137. On parle peu, quand la vanité ne fait pas parler.

138. On aime mieux dire du mal de soi-même que de n'en point parler[67].

139. Une des choses qui fait que l'on trouve si peu de gens qui paraissent raisonnables et agréables dans la conversation, c'est qu'il n'y a presque personne qui ne pense plutôt à ce qu'il veut dire qu'à répondre précisément à ce qu'on lui dit. Les plus habiles et les plus complaisants se contentent de montrer seulement une mine attentive, au même temps que l'on voit, dans leurs yeux, et dans leur esprit, un égarement[68] pour ce qu'on leur dit, et une précipitation pour retourner à

---

65. *Faire l'amour :* faire sa cour à une femme ou, pour celle-ci, se laisser courtiser volontiers; 66. *Méchant :* médiocre; 67. *En :* voir la maxime 84 et la note 47; 68. *Egarement :* distraction.

━━━━ QUESTIONS ━━━━

21. La notion de *défaut* unit ces trois maximes : montrez-le. Expliquez et justifiez la maxime 130.

22. L'importance du *ridicule*; rapprochez ces deux maximes des maximes 163, 311, 407, 408, 418 et 422. Montrez que la clef en est donnée par la maxime 326. Comparez la maxime 133 à la maxime 618 : en quoi se complètent-elles et s'éclairent-elles mutuellement? Soulignez la différence de point de vue entre les deux.

ce qu'ils veulent dire, au lieu de considérer que c'est un mauvais moyen de plaire aux autres, ou de les persuader, que de chercher si fort à se plaire à soi-même, et que bien écouter et bien répondre est une des plus grandes perfections qu'on puisse avoir dans la conversation.

140. Un homme d'esprit serait souvent bien embarrassé sans la compagnie des sots.

141. Nous nous vantons souvent de ne nous point ennuyer, et nous sommes si glorieux que nous ne voulons pas nous trouver de mauvaise compagnie.

142. Comme c'est le caractère des grands esprits de faire entendre[69] en peu de paroles beaucoup de choses, les petits esprits, au contraire, ont le don de beaucoup parler, et de ne rien dire. **(23)**

143. C'est plutôt par l'estime de nos propres sentiments[70] que nous exagérons les bonnes qualités[71] des autres, que par l'estime de leur mérite; et nous voulons nous attirer des louanges, lorsqu'il semble que nous leur en donnons.

144. On n'aime point à louer, et on ne loue jamais personne sans intérêt. La louange est une flatterie habile, cachée et délicate, qui satisfait différemment celui qui la donne et celui qui la reçoit : l'un la prend comme une récompense de son mérite; l'autre la donne pour faire remarquer son équité et son discernement.

---

69. *Entendre :* comprendre; **70.** *Sentiment :* opinion; **71.** *Qualité :* voir la maxime 29 et la note 24.

QUESTIONS
---

23. Montrez l'importance de la conversation dans la vie sociale et psychologique d'une certaine société au XVIIᵉ siècle. Rôle de la vanité dans la conversation d'après les maximes 137 à 141; analysez ses différentes manifestations; cherchez les limites de la justesse de ces réflexions. — Conversation et art de plaire d'après la maxime 139. Celle-ci n'apparaît-elle pas plutôt comme une observation? Rapprochez-la de La Bruyère, *Caractères*, v, 67 (« Nouveaux Classiques Larousse », page 100, lignes 282-290) : montrez la supériorité de La Rochefoucauld (style, observation). Complétez l'étude de ce groupe de maximes par celui des maximes supprimées 595, H. 152 à 155.

145. Nous choisissons souvent des louanges empoisonnées qui font voir, par contre-coup, en ce que nous louons, des défauts que nous n'osons découvrir d'une autre sorte[72].

146. On ne loue d'ordinaire que pour être loué.

147. Peu de gens sont assez sages pour préférer le blâme qui leur est utile à la louange qui les trahit.

148. Il y a des reproches qui louent, et des louanges qui médisent.

149. Le refus des louanges est un désir d'être loué deux fois.

150. Le désir de mériter les louanges qu'on nous donne fortifie notre vertu[73], et celles que l'on donne à l'esprit, à la valeur et à la beauté contribuent à les augmenter.

151. Il est plus difficile de s'empêcher d'être gouverné que de gouverner les autres.

152. Si nous ne nous flattions point nous-mêmes, la flatterie des autres ne nous pourrait nuire. **(24)**

153*. La nature fait le mérite, et la fortune[74] le met en œuvre.

---

72. *Sorte :* manière; **73.** *Vertu :* force d'âme; **74.** *Fortune :* voir la maxime 1 et la note 9.

──────── **QUESTIONS** ────────────────

24. Louange et flatterie : déterminez-en les points communs et indiquez en quoi elles se distinguent. Montrez que c'est plus une question d'intention chez celui qui la donne que de valeur plus ou moins objective du jugement ainsi émis. Toutes les louanges sont-elles *empoisonnées* selon La Rochefoucauld? Quel mérite leur reconnaît-il dans la maxime 150? Est-ce valable dans tous les cas? — Montrez que la maxime 144 allie le genre de la définition avec celui de l'observation, tel qu'il apparaît, par exemple, dans les maximes 116 et 139. — Distinguez dans ce groupe de maximes celles qui étudient le point de vue du flatteur et celles qui analysent le point de vue opposé. Comment la maxime 152 opère-t-elle la fusion de ces deux aspects? — Rapprochez la maxime 149 des maximes 143 et 596 : quelles nuances la seconde apporte-t-elle? En quoi consiste la supériorité de la première sur la troisième? Faites le lien entre les maximes 145 et 198; de même, montrez que la maxime 150 reprend les maximes 598 et 599, que la maxime 144 reprend la maxime 597 et qu'il en va de même pour les maximes 152 et 600.

154. La fortune nous corrige de plusieurs défauts que la raison ne saurait corriger.

155. Il y a des gens dégoûtants[75] avec du mérite, et d'autres qui plaisent avec des défauts.

156. Il y a des gens dont tout le mérite consiste à dire et à faire des sottises utilement, et qui gâteraient tout s'ils changeaient de conduite.

157. La gloire des grands hommes se doit toujours mesurer aux moyens dont ils se sont servis pour l'acquérir.

158. La flatterie est une fausse monnaie, qui n'a de cours que par notre vanité[76].

159. Ce n'est pas assez d'avoir de grandes qualités; il en faut avoir l'économie[77].

160. Quelque éclatante que soit une action, elle ne doit pas passer pour grande, lorsqu'elle n'est pas l'effet d'un grand dessein.

161. Il doit y avoir une certaine proportion entre les actions et les desseins, si on en veut tirer tous les effets qu'elles peuvent produire.

162. L'art de savoir bien mettre en œuvre de médiocres qualités dérobe[78] l'estime, et donne souvent plus de réputation que le véritable mérite.

163. Il y a une infinité de conduites qui paraissent ridicules, et dont les raisons cachées sont très sages et très solides.

164. Il est plus facile de paraître digne des emplois qu'on n'a pas que de ceux que l'on exerce.

165*. Notre mérite nous attire l'estime des honnêtes gens, et notre étoile celle du public.

---

75. *Dégoûtant* : déplaisant; 76. Maxime ajoutée dans l'édition de 1678; 77. *Économie* : bon usage; 78. *Dérober* : recueillir indûment.

166. Le monde récompense plus souvent les apparences du mérite que le mérite même. **(25)**

167*. L'avarice[79] est plus opposée à l'économie que la libéralité.

168. L'espérance, toute trompeuse qu'elle est, sert au moins à nous mener à la fin de la vie par un chemin agréable.

169. Pendant que[80] la paresse et la timidité nous retiennent dans notre devoir, notre vertu en a souvent tout l'honneur.

170. Il est difficile de juger si un procédé net, sincère et honnête est un effet de probité ou d'habileté.

171. Les vertus se perdent dans l'intérêt, comme les fleuves se perdent dans la mer. **(26)**

172*. Si on examine bien les divers effets de l'ennui[81], on trouvera qu'il fait manquer à plus de devoirs que l'intérêt[82].

173. Il y a diverses sortes de curiosité : l'une d'intérêt, qui

---

79. *Avarice :* voir la maxime 11 et la note 14; **80.** *Pendant que* a ici une valeur adversative proche de « tandis que »; **81.** *Ennui :* chagrin, tourment (sens fort); mais déjà apparaît le sens moderne du XVIIe siècle; **82.** Maxime ajoutée dans l'édition de 1678.

■ QUESTIONS ■

25. La notion de mérite : dégagez-en l'essentiel d'après ces quelques maximes. Analysez les rapports entre, d'une part, le mérite et, d'autre part, la fortune (maximes 153, 154, 160 et 165), les qualités personnelles (maximes 156, 157, 159, 162), l'opinion publique (maximes 155, 158, 163, 164, 165 et 166). — Le paradoxe de la maxime 155 : comment peut-il s'expliquer? Que veut montrer l'auteur? Est-ce par un goût analogue de surprendre que La Rochefoucauld énonce la maxime 156? N'y a-t-il pas apparente contradiction entre les maximes 157 et 159, d'une part, et 162, d'autre part? Comment peut-elle se résoudre? — Montrez que les maximes 165 et 166 se complètent.

26. Montrez que ces cinq maximes opposent vertus et apparences. Dans quelle mesure la maxime 168 peut-elle s'y rattacher? Précisez l'intention de l'auteur et son attitude en face de l'espérance : est-il catégorique ou non (rôle de l'indicatif : *toute trompeuse qu'elle est*)? Est-ce un point de vue chrétien? — D'une manière générale, peut-on dire qu'ici La Rochefoucauld nie l'existence de tout motif vertueux ou bien qu'il exprime son scepticisme sur la possibilité d'émettre un jugement favorable sur les actes apparemment inspirés par la vertu? — Qu'apporte la maxime 603 à la maxime 166?

nous porte à désirer d'apprendre ce qui nous peut être utile; et l'autre d'orgueil, qui vient du désir de savoir ce que les autres ignorent. **(27)**

174. Il vaut mieux employer notre esprit à supporter les infortunes qui nous arrivent qu'à prévoir celles qui nous peuvent arriver.

175. La constance en amour est une inconstance perpétuelle, qui fait que notre cœur s'attache successivement à toutes les qualités de la personne que nous aimons, donnant tantôt la préférence à l'une, tantôt à l'autre : de sorte que cette constance n'est qu'une inconstance arrêtée et renfermée dans un même sujet.

176. Il y a deux sortes de constance en amour : l'une vient de ce que l'on trouve sans cesse dans la personne que l'on aime de nouveaux sujets d'aimer, et l'autre vient de ce que l'on se fait un honneur d'être constant.

177. La persévérance n'est digne ni de blâme, ni de louange, parce qu'elle n'est que la durée des goûts et des sentiments[83], qu'on ne s'ôte et qu'on ne se donne point.

178. Ce qui nous fait aimer les nouvelles connaissances n'est pas tant la lassitude que nous avons des vieilles, ou le plaisir de changer, que le dégoût[84] de n'être pas assez admirés de ceux qui nous connaissent trop, et l'espérance de l'être davantage de ceux qui ne nous connaissent pas tant.

179. Nous nous plaignons quelquefois légèrement[85] de nos amis pour justifier par avance notre légèreté.

---

83. *Sentiment* : opinion; **84.** *Dégoût* : déplaisir; **85.** *Légèrement* : sommairement, sans approfondir.

QUESTIONS

---

27. Peut-on déterminer précisément, d'après la maxime 172, la force et le sens exact de la notion d'*ennui* ? Rapprochez de celle-ci les maximes 304, 312, 352, 502, 532, 555 et 633. Classez-les suivant le sens fort ou faible du mot *ennui* ; dans quelle mesure la maxime 172 peut-elle être valable dans les deux cas ? — Appréciez les deux sortes de *curiosité* que distingue ici l'auteur. Quelle unité peut-on voir entre les maximes 171 et 172 ? Montrez également que la notion de dilution unit ces deux maximes.

180. Notre repentir n'est pas tant un regret du mal que nous avons fait, qu'une crainte de celui qui nous en peut arriver.

181. Il y a une inconstance qui vient de la légèreté de l'esprit ou de sa faiblesse, qui lui fait recevoir toutes les opinions d'autrui, et il y en a une autre, qui est plus excusable, qui vient du dégoût des choses. **(28)**

182. Les vices entrent dans la composition des vertus, comme les poisons entrent dans la composition des remèdes : la prudence[86] les assemble et les tempère, et elle s'en sert utilement contre les maux de la vie.

183. Il faut demeurer d'accord, à l'honneur de la vertu, que les plus grands malheurs des hommes sont ceux où ils tombent par les crimes[87].

184. Nous avouons nos défauts, pour réparer par notre sincérité le tort qu'ils nous font dans l'esprit des autres.

185. Il y a des héros en mal comme en bien.

186. On ne méprise pas tous ceux qui ont des vices, mais on méprise tous ceux qui n'ont aucune vertu[88].

---

86. *Prudence :* voir la maxime 65 et la note 36; Montaigne (*Essais,* III, 1) : « De même en toute police, il y a des offices nécessaires, non seulement abjects, mais encore vicieux; les vices y trouvent leur rang et s'emploient à la couture de notre liaison, comme les venins à la conservation de notre santé. Pascal : Nous ne nous soutenons pas dans la vertu par notre propre force, mais par le contrepoids de deux vices opposés, comme nous demeurons debout entre deux vents contraires »; **87.** *Crime :* chef d'accusation; ce que l'on peut faire de condamnable aux yeux de la loi ou de la morale; **88.** Le texte définitif date de 1675.

———— QUESTIONS ————

28. Précisez le point de vue de La Rochefoucauld sur la *constance* d'après ce groupe de maximes. Comparez aux maximes 20 à 26. Quelle est l'inspiration de la maxime 174? Montrez que les maximes 175 et 176 se complètent; analysez à quoi se réduit la constance de ce fait; discutez la première des deux maximes; dans la seconde, l'*honneur* « que l'on se fait d'être constant » est-il une qualité ou un défaut? En quoi marque-t-il pourtant un échec? Comparez avec les maximes 51 et 577 d'une part, 574 et 575 d'autre part. — Essayez de déterminer la portée de la condamnation de la persévérance, maxime 177. — Unité des maximes 178 à 181.

Avant 1665 : On hait souvent les vices, mais on méprise toujours le manque de vertu.

Édition de 1665 : On peut haïr et mépriser les vices, sans haïr ni mépriser les vicieux, mais on a toujours du mépris pour ceux qui manquent de vertu.

Éditions de 1666-71 : *comme en 1665, sauf à la fin :* mais on ne saurait ne point mépriser ceux qui n'ont aucune vertu.

187*. Le nom de la vertu sert à l'intérêt aussi utilement que les vices.

188. La santé de l'âme n'est pas plus assurée que celle du corps; et quoique l'on paraisse éloigné des passions, on n'est pas moins en danger de s'y laisser emporter que de tomber malade quand on se porte bien.

189. Il semble que la nature ait prescrit à chaque homme, dès sa naissance, des bornes pour les vertus et pour les vices. **(29)**

190*. Il n'appartient qu'aux grands hommes d'avoir de grands défauts.

191. On peut dire que les vices nous attendent, dans le cours de la vie, comme des hôtes chez qui il faut successivement loger; et je doute que l'expérience nous les fît éviter, s'il nous était permis de faire deux fois le même chemin.

———— **QUESTIONS** ————

29. Les relations entre vices et vertus d'après ce groupe de maximes. — Étudiez la première d'entre elles : quelle conception de la vie morale indique-t-elle? La part de vérité qui y entre? — Est-ce à dire que les vices sont nécessaires? — Portée et valeur comme marque d'un état d'esprit de la maxime 183, défendant la vertu par ses effets pratiques. En rapprochant la maxime 185 de Corneille, vous essaierez de mettre en évidence l'existence d'une éthique héroïque qui n'obéit pas aux principes de la morale traditionnelle. Rapprochez les maximes 185 et 608, 187 et 597. — Vie morale et vie sociale d'après la maxime 187. — A l'aide de l'Index (page 19), rapprochez la maxime 184 de toutes celles qui concernent la sincérité, en particulier des maximes 554 et 609. — Complétez l'ensemble constitué par ces maximes par les textes 605 à 607; rapprochez la maxime H. 109 des maximes 187 à 189; opposez les maximes 184 et 641. — Étudiez l'art de l'écrivain d'après la maxime 186 et les variantes données dans le texte.

192. Quand les vices nous quittent, nous nous flattons de la créance[89] que c'est nous qui les quittons.

193*. Il y a des rechutes dans les maladies de l'âme, comme dans celles du corps; ce que nous prenons pour notre guérison n'est, le plus souvent, qu'un relâche[90], ou un changement de mal.

194. Les défauts de l'âme sont comme les blessures du corps : quelque soin qu'on prenne de les guérir, la cicatrice paraît toujours, et elles sont à tout moment en danger de se rouvrir.

195. Ce qui nous empêche souvent de nous abandonner à un seul vice est que nous en avons plusieurs. **(30)**

196. Nous oublions aisément nos fautes lorsqu'elles ne sont sues que de nous.

197*. Il y a des gens de qui l'on peut ne jamais croire du mal sans l'avoir vu; mais il n'y en a point en qui il nous doive surprendre en le voyant.

198. Nous élevons la gloire des uns pour abaisser celle des autres, et quelquefois on louerait moins Monsieur le Prince[91] et M. de Turenne si on ne les voulait point blâmer tous deux.

199. Le désir de paraître habile empêche souvent de le devenir.

200. La vertu n'irait pas si loin si la vanité ne lui tenait compagnie.

---

89. *Créance :* croyance; **90.** *Relâche :* relâchement, répit; **91.** *Monsieur le Prince :* Condé (1621-1686), qui fut, avec Turenne (1611-1675), l'un des plus grands généraux de Louis XIV.

─────── **QUESTIONS** ───────

30. Relations entre ce groupe de maximes et le précédent; quelle philosophie semble se dégager des maximes 191 à 195? Analysez les traces d'un certain déterminisme, en particulier dans la seconde partie de la maxime 191; les assimilations entre la vie morale et la vie physique (193, à rapprocher de 188, de 194). — Signification de la maxime 190; rapprochez-la des maximes 445 (dont vous expliquerez le sens et la part de justesse) et 602.

201. Celui qui croit pouvoir trouver en soi-même de quoi se passer de tout le monde se trompe fort; mais celui qui croit qu'on ne peut se passer de lui se trompe encore davantage. (31)

202. Les faux honnêtes gens sont ceux qui déguisent leurs défauts aux autres et à eux-mêmes; les vrais honnêtes gens sont ceux qui les connaissent parfaitement, et les confessent.

203. Le vrai honnête homme est celui qui ne se pique de rien[92].

204. La sévérité des femmes est un ajustement et un fard qu'elles ajoutent à leur beauté.

205. L'honnêteté des femmes est souvent l'amour de leur réputation et de leur repos.

206. C'est être véritablement honnête homme que de vouloir être toujours exposé à la vue des honnêtes gens. (32)

207. La folie nous suit dans tous les temps de la vie. Si quelqu'un paraît sage, c'est seulement parce que ses folies sont proportionnées à son âge et à sa fortune[93].

208. Il y a des gens niais qui se connaissent, et qui emploient habilement leur niaiserie.

---

92. Celui dont rien ne blesse l'amour-propre; 93. *Fortune :* voir la maxime 1 et la note 9.

──────── **QUESTIONS** ────────

31. Les vertus, apparences et réalités d'après ces quelques maximes. Expliquez la maxime 197; montrez la similitude de construction entre les maximes 197 et 201. Quel lien rattache les maximes 199 et 200?

32. En quoi consiste l'honnêteté selon La Rochefoucauld? Celle-ci a-t-elle la même nuance dans toutes les maximes de ce groupe? Expliquez la maxime 203; à quoi tient sa célébrité à votre avis? Rapprochez de Pascal, *Pensées*, éd. Brunschvicg, nos 34 à 37, et de Montaigne, *Essais*, « De l'institution des enfants », I, 25. Comment une conception aristocratique de la morale, telle qu'elle s'exprime chez des auteurs tels que La Rochefoucauld, le chevalier de Méré, Mme de La Fayette, permet-elle d'unir des critères purement moraux à d'autres plus proches des bienséances. — Rapprochez la maxime 205 du dénouement de *la Princesse de Clèves* (parue en 1678, soit douze ans après la première publication de cette maxime) [« Nouveaux Classiques Larousse », page 120, lignes 361-367].

209. Qui vit sans folie n'est pas si sage qu'il croit.

210*. En vieillissant, on devient plus fou et plus sage. **(33)**

211. Il y a des gens qui ressemblent aux vaudevilles[94], qu'on ne chante qu'un certain temps.

212. La plupart des gens ne jugent des hommes que par la vogue qu'ils ont, ou par leur fortune. **(34)**

213. L'amour de la gloire, la crainte de la honte, le dessein de faire fortune, le désir de rendre notre vie commode et agréable, et l'envie d'abaisser les autres, sont souvent les causes de cette valeur si célèbre parmi les hommes.

214. La valeur est, dans les simples soldats, un métier périlleux qu'ils ont pris pour gagner leur vie.

215. La parfaite valeur et la poltronnerie complète sont deux extrémités où l'on arrive rarement. L'espace qui est entre-deux est vaste, et contient toutes les autres espèces de courage : il n'y a pas moins de différence entre elles qu'entre les visages et les humeurs. Il y a des hommes qui s'exposent volontiers au commencement d'une action, et qui se relâchent et se rebutent aisément par sa durée; il y en a qui sont contents quand ils ont satisfait à l'honneur du monde, et qui font fort peu de choses au-delà. On en voit qui ne sont pas toujours également maîtres de leur peur; d'autres se laissent quelquefois entraîner à des terreurs générales; d'autres vont à la charge, parce qu'ils n'osent demeurer dans leurs postes. Il s'en trouve à qui l'habitude des moindres périls affermit le courage, et les prépare à

---

94. *Vaudeville* : chanson liée aux circonstances de l'actualité.

─────── **QUESTIONS** ───────

33. Quel sens doit-on accorder ici au mot *folie?* Précisez le lien qui peut l'unir à la passion et aux actes que celle-ci inspire. Expliquez la maxime 210 : la contradiction apparente, la vérité de chaque élément. Signification de la maxime 209; justifiez celle-ci. Rapprochez les maximes 209, 210 et 592, 209 et 586, 207 et 591.

34. Rapprochez ces deux maximes de la maxime 603. Que veut mettre en lumière La Rochefoucauld? A quoi est liée cette notion de *vogue* temporaire?

s'exposer à de plus grands. Il y en a qui sont braves à coups d'épée, et qui craignent les coups de mousquet; d'autres sont assurés aux coups de mousquet et appréhendent de se battre à coups d'épée. Tous ces courages, de différentes espèces, conviennent en ce que, la nuit augmentant la crainte et cachant les bonnes et les mauvaises actions, elle donne la liberté de se ménager. Il y a encore un autre ménagement plus général; car on ne voit point d'homme qui fasse tout ce qu'il serait capable de faire dans une occasion, s'il était assuré d'en revenir : de sorte qu'il est visible que la crainte de la mort ôte quelque chose de la valeur.

216. La parfaite valeur est de faire sans témoins ce qu'on serait capable de faire devant tout le monde.

217. L'intrépidité est une force extraordinaire de l'âme, qui l'élève au-dessus des troubles, des désordres et des émotions que la vue des grands périls pourrait exciter en elle, et c'est par cette force que les héros se maintiennent en un état paisible, et conservent l'usage libre de leur raison dans les accidents[95] les plus surprenants et les plus terribles.

218. L'hypocrisie est un hommage que le vice rend à la vertu.

219. La plupart des hommes s'exposent assez dans la guerre pour sauver leur honneur; mais peu se veulent toujours exposer autant qu'il est nécessaire pour faire réussir le dessein pour lequel ils s'exposent.

220. La vanité, la honte[96], et surtout le tempérament, font souvent la valeur des hommes et la vertu des femmes.

221. On ne veut point perdre la vie, et on veut acquérir de la gloire : ce qui fait que les braves ont plus d'adresse et d'esprit pour éviter la mort, que les gens de chicane n'en ont pour conserver leur bien.

222. Il n'y a guère de personnes qui, dans le premier penchant

---

95. *Accident* : voir la maxime 59 et la note 34; 96. *Honte* : réserve.

de l'âge, ne fassent connaître par où leur corps et leur esprit doivent défaillir. **(35)**

223. Il est de la reconnaissance comme de la bonne foi des marchands : elle entretient le commerce, et nous ne payons pas parce qu'il est juste de nous acquitter, mais pour trouver plus facilement des gens qui nous prêtent.

224. Tous ceux qui s'acquittent des devoirs de la reconnaissance ne peuvent pas pour cela se flatter d'être reconnaissants.

225. Ce qui fait le mécompte dans la reconnaissance qu'on attend des grâces que l'on a faites, c'est que l'orgueil de celui qui donne et l'orgueil de celui qui reçoit ne peuvent convenir[97] du prix du bienfait.

226. Le trop grand empressement qu'on a de s'acquitter d'une obligation est une espèce d'ingratitude.

227. Les gens heureux ne se corrigent guère, et ils croient toujours avoir raison, quand la fortune[98] soutient leur mauvaise conduite.

228. L'orgueil ne veut pas devoir, et l'amour-propre ne veut pas payer.

---

97. *Convenir* : tomber d'accord sur; 98. *Fortune* : voir la maxime 1 et la note 9.

─────── **QUESTIONS** ───────

35. La notion de valeur : en quoi consiste-t-elle? Apparences et réalités. Relevez les éléments qui entrent dans la composition de la *parfaite valeur*. Quelle maxime nous indique où celle-ci se trouve? Quels motifs déterminent le plus souvent les hommes que l'on dit « valeureux » d'après La Rochefoucauld? Qu'apporte de complémentaire la maxime 220, ajoutée en 1678 par l'auteur? Rapprochez de ce groupe la maxime 616; confrontez les maximes 615 et 213, 217 et 614. — En quoi la maxime 218 se rattache-t-elle à cet ensemble? Montrez comment les maximes 211 et 212 font transition entre ce groupe et le précédent. — La maxime 215 : en quoi est-elle plutôt une méditation, un essai né de l'observation qu'une maxime proprement dite? Relevez dans ce développement quelques formules que l'on pourrait isoler. Dégagez-en l'idée générale; que peut-on conclure de là? Toutefois ne s'agit-il pas ici que d'une seule sorte de valeur, que l'on pourrait appeler le *courage physique?* Pourquoi un tel développement sur ce thème, compte tenu de l'époque, du milieu et de l'expérience de l'auteur? A quoi correspond la constance (maximes 20 et suivantes, 174 et suivantes)?

229. Le bien que nous avons reçu de quelqu'un veut que nous respections le mal qu'il nous fait. **(36)**

230. Rien n'est si contagieux que l'exemple, et nous ne faisons jamais de grands biens ni de grands maux qui n'en produisent de semblables. Nous imitons les bonnes actions par émulation, et les mauvaises par la malignité de notre nature, que la honte retenait prisonnière, et que l'exemple met en liberté.

231. C'est une grande folie de vouloir être sage tout seul. **(37)**

232. Quelque prétexte que nous donnions à nos afflictions, ce n'est souvent que l'intérêt et la vanité qui les causent.

233. Il y a dans les afflictions diverses sortes d'hypocrisies : dans l'une, sous prétexte de pleurer la perte d'une personne qui nous est chère, nous nous pleurons nous-mêmes; nous regrettons la bonne opinion qu'elle avait de nous; nous pleurons la diminution de notre bien, de notre plaisir, de notre considération. Ainsi les morts ont l'honneur des larmes qui ne coulent que pour les vivants. Je dis que c'est une espèce d'hypocrisie, à cause que dans ces sortes d'afflictions, on se trompe soi-même. Il y a une autre hypocrisie, qui n'est pas si innocente, parce qu'elle impose[99] à tout le monde : c'est

---

99. *Imposer à* : tromper.

───── **QUESTIONS** ─────

36. La reconnaissance : La Rochefoucauld la croit-il souvent sincère? Analysez les termes de la maxime 223 : relevez ceux qui l'apparentent à un marché; montrez que le verbe *s'acquitter*, par ses deux sens, commande l'assimilation. Cherchez dans les autres maximes des termes équivalents. Mettez en relief les groupements internes de maximes sur ce thème : 224 et 226, 225 et 227. En quoi la maxime 229 a-t-elle une résonance purement morale, par contraste avec les autres? Est-ce une simple affaire de vocabulaire? — Expliquez le sens des maximes 224 et 226 : le paradoxe apparent, le sens réel, la valeur morale de la constatation. En rappelant la distinction entre *orgueil* et *amour-propre*, expliquez la maxime 228; vous paraît-elle juste? — Rattachez à ce groupe la maxime supprimée 617 et justifiez sa suppression : est-elle de la même force que les autres?

37. Quel trait unit ces deux maximes? Étudiez en quoi l'émulation est un ressort moral, voire héroïque, d'après les exemples du théâtre cornélien en particulier. Comment La Rochefoucauld explique-t-il le phénomène d'entraînement au mal? Son observation vous paraît-elle juste? — Rapprochez la maxime 231 du groupe 207 à 210.

l'affliction de certaines personnes qui aspirent à la gloire d'une belle et immortelle douleur. Après que le temps, qui consume tout, a fait cesser celle qu'elles avaient en effet, elles ne laissent pas d'opiniâtrer leurs pleurs, leurs plaintes et leurs soupirs; elles prennent un personnage lugubre, et travaillent à persuader, par toutes leurs actions, que leur déplaisir ne finira qu'avec leur vie. Cette triste et fatigante vanité se trouve d'ordinaire dans les femmes ambitieuses : comme leur sexe leur ferme tous les chemins qui mènent à la gloire, elles s'efforcent de se rendre célèbres par la montre[100] d'une inconsolable affliction. Il y a encore une autre espèce de larmes qui n'ont que de petites sources, qui coulent et se tarissent facilement : on pleure pour avoir la réputation d'être tendre; on pleure pour être plaint; on pleure pour être pleuré; enfin on pleure pour éviter la honte de ne pleurer pas. (38)

234. C'est plus souvent par orgueil que par défaut de lumières[101] qu'on s'oppose avec tant d'opiniâtreté aux opinions les plus suivies : on trouve les premières places prises dans le bon parti, et on ne veut point des dernières.

235. Nous nous consolons aisément des disgrâces[102] de nos amis, lorsqu'elles servent à signaler notre tendresse pour eux.

236. Il semble que l'amour-propre soit la dupe de la bonté,

---

100. *Montre :* ostentation; 101. *Défaut de lumières :* manque de clairvoyance; 102. *Disgrâce :* malheur.

■ QUESTIONS ■

38. Comment ces deux textes sont-ils unis? Le thème de l'*affliction* y suffit-il? Dans quelle mesure ce passage se rattache-t-il au dessein général de l'œuvre et est-il éclairé par l'Exergue? Les réflexions faites ici sont-elles profondément originales? Si l'on rapproche les maximes 232 et 612, ne trouvons-nous pas ici un thème cher à Bossuet? La maxime 573 ne propose-t-elle pas aussi un autre motif possible de l'affliction?
— La maxime 233 : composition; en quoi entre-t-elle dans la catégorie des inventaires? La férocité de l'analyse psychologique : où est-elle à son point culminant à votre avis? Recherchez les mots énergiques qui marquent la réprobation de l'auteur, l'effort d'ostentation de ceux dont il parle. Pourquoi faire un sort particulier aux femmes? En quoi La Rochefoucauld est-il plus sévère qu'auparavant? Montrez la composition en progression des deux phrases qu'il leur consacre. Analysez le trait final *enfin [...] de ne pleurer pas :* comment est-il amené? Soulignez l'effet d'accumulation, la progression, la pointe finale. — La valeur des répétitions de mots dans tout ce texte.

Vanité aux œillets.
École napolitaine du XVIIe s. Nantes, musée des Beaux-Arts.

et qu'il s'oublie lui-même, lorsque nous travaillons pour l'avantage des autres : cependant c'est prendre le chemin le plus assuré pour arriver à ses fins; c'est prêter à usure, sous prétexte de donner; c'est enfin s'acquérir tout le monde par un moyen subtil et délicat.

237. Nul ne mérite d'être loué de bonté, s'il n'a pas la force d'être méchant : toute autre bonté n'est le plus souvent qu'une paresse ou une impuissance de la volonté.

238. Il n'est pas si dangereux de faire du mal à la plupart des hommes que de leur faire trop de bien.

239. Rien ne flatte plus notre orgueil que la confiance des grands, parce que nous la regardons comme un effet de notre mérite, sans considérer qu'elle ne vient le plus souvent que de vanité, ou d'impuissance de garder le secret. **(39)**

240. On peut dire de l'agrément, séparé de la beauté, que c'est une symétrie dont on ne sait point les règles, et un rapport secret des traits ensemble, et des traits avec les couleurs, et avec l'air de la personne.

241. La coquetterie est le fond de l'humeur des femmes; mais toutes ne la mettent pas en pratique, parce que la coquetterie de quelques-unes est retenue par la crainte ou par la raison.

242. On incommode souvent les autres, quand on croit ne les pouvoir jamais incommoder.

QUESTIONS
---

39. Montrez que ce groupe de maximes concerne essentiellement les rapports de l'orgueil et de l'amour-propre avec la bonté. La maxime 234 : orgueil et jugement; cherchez des exemples qui appuient cette réflexion; s'agit-il là d'une attitude exceptionnelle? — Orgueil et amitié : La Rochefoucauld se fonde-t-il sur une apparence, dans la maxime 235, ou bien perce-t-il à jour des générosités apparentes seulement? Rapprochez de ce texte les maximes 582 et 583. — Comparez la maxime 236 avec le texte d'un contemporain, J. Esprit : « Le désintéressement est un chemin contraire à celui qu'on tient ordinairement, par lequel les plus fins et les plus déliés parviennent à ce qu'ils désirent; c'est le dernier stratagème de l'ambition. » — La dureté de la maxime 237 apparaît-elle justifiée? Peut-on parler de bonté dans ce cas? Rapprochez d'autres maximes traitant de la bonté ou de la faiblesse, en particulier les maximes 387, 479, 481, 620 et 621. En quoi la maxime 238 complète-t-elle cet ensemble? — Appréciez la justesse de la maxime 239.

243. Il y a peu de choses impossibles d'elles-mêmes, et l'application pour les faire réussir nous manque plus que les moyens. **(40)**

244. La souveraine habileté consiste à bien connaître le prix des choses.

245. C'est une grande habileté que de savoir cacher son habileté.

246. Ce qui paraît générosité n'est souvent qu'une ambition déguisée, qui méprise de petits intérêts, pour aller à de plus grands.

247. La fidélité qui paraît en la plupart des hommes n'est qu'une invention de l'amour-propre, pour attirer la confiance; c'est un moyen de nous élever au-dessus des autres, et de nous rendre dépositaires des choses les plus importantes.

248. La magnanimité méprise tout, pour avoir tout.

249. Il n'y a pas moins d'éloquence dans le ton de la voix, dans les yeux, et dans l'air de la personne, que dans le choix des paroles.

250. La véritable éloquence consiste à dire tout ce qu'il faut, et à ne dire que ce qu'il faut.

251. Il y a des personnes à qui les défauts siéent bien, et d'autres qui sont disgraciées avec leurs bonnes qualités[103].

252. Il est aussi ordinaire de voir changer les goûts, qu'il est extraordinaire de voir changer les inclinations.

253. L'intérêt met en œuvre toutes sortes de vertus et de vices.

254. L'humilité n'est souvent qu'une feinte soumission, dont

---

103. *Qualité :* voir la maxime 29 et la note 24.

— QUESTIONS —

40. Rapprochez les maximes 242 et 622. Quel travers visent-elles? Sur quel défaut repose ce dernier? En quoi ces deux réflexions préfigurent-elles le groupe suivant, centré sur l'habileté? — Regroupez les maximes 30, 243 et 412; montrez que la notion de force d'âme est ici plus importante que celle d'habileté.

on se sert pour soumettre les autres; c'est un artifice de l'orgueil qui s'abaisse pour s'élever; et bien qu'il se transforme en mille manières, il n'est jamais mieux déguisé et plus capable de tromper que lorsqu'il se cache sous la figure de l'humilité.

255. Tous les sentiments ont chacun un ton de voix, des gestes et des mines qui leur sont propres, et ce rapport, bon ou mauvais, agréable ou désagréable, est ce qui fait que les personnes plaisent ou déplaisent.

256. Dans toutes les professions, chacun affecte une mine et un extérieur, pour paraître ce qu'il veut qu'on le croie : ainsi on peut dire que le monde n'est composé que de mines.

257. La gravité est un mystère du corps inventé pour cacher les défauts de l'esprit.

258*. Le bon goût vient plus du jugement que de l'esprit.

259. Le plaisir de l'amour est d'aimer, et l'on est plus heureux par la passion que l'on a que par celle que l'on donne.

260. La civilité est un désir d'en recevoir et d'être estimé poli. **(41)**

261. L'éducation que l'on donne d'ordinaire aux jeunes gens est un second amour-propre qu'on leur inspire.

262. Il n'y a point de passion où l'amour de soi-même règne si puissamment que dans l'amour, et on est toujours plus disposé à sacrifier le repos de ce qu'on aime qu'à perdre le sien.

QUESTIONS
---

41. Étudiez les différentes facettes de l'habileté mises en évidence ici; répartissez-les selon leurs points d'application. Peut-on tirer de ces maximes des leçons pratiques d'habileté, des conseils utiles dans des situations concrètes données? Pourquoi? — Quel rôle joue l'apparence par rapport à la réalité psychologique profonde des êtres? — Rattachez à ce groupe les maximes supprimées 620 et 639. De quels textes précis peut-on les rapprocher le plus, d'une part, pour le sens; et, d'autre part, pour la forme? — Comparez les deux versions successives de la maxime 245 par l'étude de la variante suivante : « Le plus grand art d'un habile homme est celui de savoir cacher son habileté » (édition de 1665). Étudiez en particulier l'effort d'abstraction et de simplification dans l'expression.

263. Ce qu'on nomme libéralité n'est le plus souvent que la vanité de donner, que nous aimons mieux que ce que nous donnons.

264. La pitié est souvent un sentiment de nos propres maux dans les maux d'autrui; c'est une habile prévoyance des malheurs où nous pouvons tomber; nous donnons du secours aux autres, pour les engager à nous en donner en de semblables occasions, et ces services que nous leur rendons sont, à proprement parler, des biens que nous nous faisons à nous-mêmes par avance. **(42)**

265. La petitesse de l'esprit fait l'opiniâtreté, et nous ne croyons pas aisément ce qui est au-delà de ce que nous voyons.

266. C'est se tromper que de croire qu'il n'y ait que les violentes passions, comme l'ambition et l'amour, qui puissent triompher des autres. La paresse, toute languissante qu'elle est, ne laisse pas d'en être souvent la maîtresse : elle usurpe sur tous les desseins et sur toutes les actions de la vie; elle y détruit et y consume insensiblement les passions et les vertus. **(43)**

267. La promptitude à croire le mal, sans l'avoir assez examiné, est un effet de l'orgueil et de la paresse : on veut trouver des coupables, et on ne veut pas se donner la peine d'examiner les crimes[104].

---

104. *Crime :* voir la maxime 183 et la note 87.

━━━━━ QUESTIONS ━━━━━

42. Amour-propre et vanité : est-ce la première fois qu'il en est question ici (voir l'Index, page 19)? Quelles qualités, quelles « bonnes intentions » démasquent-ils ici? — Cherchez des exemples qui illustrent la maxime 261. Ne peut-on cependant montrer qu'il est toujours facile de réduire à une telle constatation une intention autre dans le choix de l'éducation que l'on donne? — Montrez que la coordination par *et*, dans la maxime 262, marque une notion de causalité, en fait. — Quelle part de vérité peut-on voir dans la maxime 264? Discutez néanmoins le point de vue de l'auteur.

43. Relevez les différentes maximes qui traitent de la paresse. Quel rôle est donné à cette dernière? Cela vous paraît-il juste et dans quelle mesure? — En quoi la maxime 587 apporte-t-elle un complément intéressant à celle-ci?

268. Nous récusons des juges pour les plus petits intérêts, et nous voulons bien que notre réputation et notre gloire dépendent du jugement des hommes, qui nous sont tous contraires, ou par leur jalousie, ou par leur préoccupation[105], ou par leur peu de lumière; et ce n'est que pour les faire prononcer[106] en notre faveur que nous exposons, en tant de manières, notre repos et notre vie.

269. Il n'y a guère d'homme assez habile pour connaître tout le mal qu'il fait.

270. L'honneur acquis est caution de celui qu'on doit acquérir.

271. La jeunesse est une ivresse continuelle : c'est la fièvre de la raison.

272. Rien ne devrait plus humilier les hommes qui ont mérité de grandes louanges, que le soin qu'ils prennent encore de se faire valoir par de petites choses.

273. Il y a des gens, qu'on approuve dans le monde, qui n'ont pour tout mérite que les vices qui servent au commerce[107] de la vie. **(44)**

274. La grâce de la nouveauté est à l'amour ce que la fleur[108] est sur les fruits : elle y donne un lustre qui s'efface aisément, et qui ne revient jamais.

275. Le bon naturel, qui se vante d'être si sensible, est souvent étouffé par le moindre intérêt.

---

105. *Préoccupation* : prévention hostile; **106.** *Prononcer* : décider; **107.** *Commerce* : voir la maxime 77 et la note 44; **108.** *Fleur* : velouté de la peau que présentent certains fruits.

QUESTIONS
---

44. L'importance du jugement d'autrui : quelle faiblesse et quelle incertitude traduit-elle chez l'homme? — Mettez en évidence la part de vérité qu'il y a dans ces formules. — Complétez la maxime 270 par les maximes 150, 598 et 599. En ce sens n'a-t-on pas un élément positif dans le jugement d'autrui au point de vue moral? Quelle importance relative attacher dans ces conditions à l'intention et au résultat, l'une étant peu morale par rapport à l'autre?

276. L'absence diminue les médiocres[109] passions, et augmente les grandes, comme le vent éteint les bougies, et allume le feu.

277. Les femmes croient souvent aimer, encore qu'elles n'aiment pas : l'occupation d'une intrigue, l'émotion d'esprit que donne la galanterie[110], la pente naturelle au plaisir d'être aimées, et la peine de refuser, leur persuadent qu'elles ont de la passion, lorsqu'elles n'ont que de la coquetterie.

278. Ce qui fait que l'on est souvent mécontent de ceux qui négocient, est qu'ils abandonnent presque toujours l'intérêt de leurs amis pour l'intérêt du succès de la négociation, qui devient le leur par l'honneur d'avoir réussi à ce qu'ils avaient entrepris.

279. Quand nous exagérons la tendresse que nos amis ont pour nous, c'est souvent moins par reconnaissance que par le désir de faire juger de notre mérite. **(45)**

280. L'approbation que l'on donne à ceux qui entrent dans le monde vient souvent de l'envie secrète que l'on porte à ceux qui y sont établis.

281. L'orgueil, qui nous inspire tant d'envie, nous sert souvent aussi à la modérer.

282. Il y a des faussetés déguisées qui représentent si bien la vérité, que ce serait mal juger que de ne s'y pas laisser tromper.

283. Il n'y a pas quelquefois moins d'habileté à savoir profiter d'un bon conseil, qu'à se bien conseiller soi-même.

284. Il y a des méchants qui seraient moins dangereux s'ils n'avaient aucune bonté.

---

109. *Médiocre :* d'importance ou d'intensité moyenne; **110.** *Galanterie :* voir la maxime 73 et la note 39.

─────── **QUESTIONS** ───────

45. Quel nouvel éclairage apportent ces maximes sur l'amour et l'amitié? N'y a-t-il pas des lieux communs à peine déguisés dans certaines d'entre elles (276, 279)? — Analysez la maxime 278 : la part de vérité générale; celle de l'amertume éprouvée par l'ancien frondeur. — Rapprochez de ce groupe les maximes 581 à 584, 590 et 619.

285. La magnanimité est assez définie par son nom; néanmoins on pourrait dire que c'est le bon sens de l'orgueil, et la voie la plus noble pour recevoir des louanges.

286. Il est impossible d'aimer une seconde fois ce qu'on a véritablement cessé d'aimer.

287. Ce n'est pas tant la fertilité de l'esprit qui nous fait trouver plusieurs expédients[111] sur une même affaire, que c'est le défaut de lumière qui nous fait arrêter à tout ce qui se présente à notre imagination, et qui nous empêche de discerner d'abord[112] ce qui est le meilleur.

288. Il y a des affaires et des maladies que les remèdes aigrissent[113] en certains temps, et la grande habileté consiste à connaître quand il est dangereux d'en user.

289*. La simplicité affectée est une imposture délicate.

290*. Il y a plus de défauts dans l'humeur que dans l'esprit.

291*. Le mérite des hommes a sa saison aussi bien que les fruits.

292. On peut dire de l'humeur des hommes, comme de la plupart des bâtiments, qu'elle a diverses faces, les unes agréables, et les autres désagréables.

293. La modération ne peut avoir le mérite de combattre l'ambition et de la soumettre : elles ne se trouvent jamais ensemble. La modération est la langueur et la paresse de l'âme, comme l'ambition en est l'activité et l'ardeur. **(46)**

---

111. *Expédient :* moyen de réussir, sans valeur péjorative; **112.** *D'abord :* d'emblée; **113.** *Aigrir :* aggraver.

———— **QUESTIONS** ————

46. Indiquez les différents thèmes qu'abordent ces maximes. Les relations qui existent entre l'inconstance et la diversité : le rôle de l'humeur. Habileté et faiblesse d'après les maximes 287, 288 et 293. La *modération* est-elle une vertu ou une faiblesse? Rapprochez de celles-ci les autres maximes traitant du même sujet (voir l'Index, page 19).

294. Nous aimons toujours ceux qui nous admirent, et nous n'aimons pas toujours ceux que nous admirons.

295. Il s'en faut bien que nous ne connaissions toutes nos volontés.

296. Il est difficile d'aimer ceux que nous n'estimons point; mais il ne l'est pas moins d'aimer ceux que nous estimons beaucoup plus que nous.

297. Les humeurs du corps ont un cours ordinaire et réglé, qui meut et qui tourne imperceptiblement notre volonté; elles roulent ensemble, et exercent successivement un empire secret en nous, de sorte qu'elles ont une part considérable à toutes nos actions, sans que nous le[114] puissions connaître. **(47)**

298. La reconnaissance de la plupart des hommes n'est qu'une secrète envie de recevoir de plus grands bienfaits.

299. Presque tout le monde prend plaisir à s'acquitter des petites obligations; beaucoup de gens ont de la reconnaissance pour les médiocres[115]; mais il n'y a quasi personne qui n'ait de l'ingratitude pour les grandes.

300. Il y a des folies qui se prennent comme les maladies contagieuses.

Maximes ajoutées dans l'édition de 1671.

301. Assez de gens méprisent le bien[116], mais peu savent le donner.

302. Ce n'est d'ordinaire que dans de petits intérêts où nous prenons le hasard[117] de ne pas croire aux apparences.

---

114. *Le* représente « empire »; 115. *Médiocre :* voir la maxime 276 et la note 109; 116. Les biens matériels; 117. *Hasard :* risque.

——— **QUESTIONS** ———

47. La volonté d'après La Rochefoucauld (maximes 295 et 297). Quelle importance a l'appel aux *humeurs?* Rappelez rapidement le rôle de celles-ci dans la science médicale du XVIIe siècle; relevez et expliquez les termes scientifiques qui environnent ce terme d'*humeurs.*

303*. Quelque bien qu'on nous dise de nous, on ne nous apprend rien de nouveau.

304*. Nous pardonnons souvent à ceux qui nous ennuient, mais nous ne pouvons pardonner à ceux que nous ennuyons.

305*. L'intérêt, que l'on accuse de tous nos crimes[118], mérite souvent d'être loué de nos bonnes actions.

306. On ne trouve guère d'ingrats tant qu'on est en état de faire du bien.

307*. Il est aussi honnête d'être glorieux avec soi-même qu'il est ridicule de l'être avec les autres. **(48)**

308*. On a fait une vertu de la modération, pour borner l'ambition des grands hommes, et pour consoler les gens médiocres de leur peu de fortune et de leur peu de mérite.

309. Il y a des gens destinés à être sots, qui ne font pas seulement des sottises par leur choix, mais que la fortune[119] même contraint d'en faire.

310*. Il arrive quelquefois des accidents[120] dans la vie où il faut être un peu fou pour se bien tirer.

311. S'il y a des hommes dont le ridicule n'ait jamais paru, c'est qu'on ne l'a pas bien cherché. **(49)**

---

118. *Crime* : voir la maxime 183 et la note 87 ; **119.** *Fortune* : voir la maxime 1 et la note 9 ; **120.** *Accident* : voir la maxime 59 et la note 34.

─────── **QUESTIONS** ───────

48. La reconnaissance (maximes 298 et 299) : montrez la complémentarité des deux maximes. Trouvez des exemples concrets qui les vérifient. Rapprochez-les des maximes 294 et 306. — Expliquez la maxime 300. Quelles conséquences peut-on en tirer, notamment sur le comportement parfois aberrant d'un homme sensé lorsqu'il est placé dans un groupe ou une situation dont il n'est qu'un élément. — Rapprochez de ce groupe la maxime 629.

49. Folie et sagesse : sommes-nous toujours responsables (maxime 309)? Avons-nous du mérite à la *modération* (maxime 308)? — Expliquez la maxime 310. Quelle sorte de ridicule peut viser La Rochefoucauld à la maxime 311?

312. Ce qui fait que les amants et les maîtresses[121] ne s'ennuient point d'être ensemble, c'est qu'ils parlent toujours d'eux-mêmes.

313. Pourquoi faut-il que nous ayons assez de mémoire pour retenir jusqu'aux moindres particularités de ce qui nous est arrivé, et que nous n'en ayons pas assez pour nous souvenir combien de fois nous les avons contées à une même personne?

314*. L'extrême plaisir que nous prenons à parler de nous-mêmes nous doit faire craindre de n'en donner guère à ceux qui nous écoutent.

315. Ce qui nous empêche d'ordinaire de faire voir le fond de notre cœur à nos amis, n'est pas tant la défiance que nous avons d'eux, que celle que nous avons de nous-mêmes. **(50)**

316. Les personnes faibles ne peuvent être sincères.

317*. Ce n'est pas un grand malheur d'obliger des ingrats, mais c'en est un insupportable d'être obligé à[122] un malhonnête homme.

318. On trouve des moyens pour guérir de la folie, mais on n'en trouve point pour redresser un esprit de travers.

319*. On ne saurait conserver longtemps les sentiments qu'on doit avoir pour ses amis et pour ses bienfaiteurs, si on se laisse la liberté de parler souvent de leurs défauts.

320. Louer les princes des vertus qu'ils n'ont pas, c'est leur dire impunément des injures.

321*. Nous sommes plus près d'aimer ceux qui nous haïssent que ceux qui nous aiment plus que nous ne voulons.

---

121. *Maîtresse* : voir la maxime 111 et la note 57; 122. *À* : à l'égard de.

■ QUESTIONS ■

50. La conversation et l'expression de la pensée. Analysez la part de l'égocentrisme dans la conversation; ses effets. La Rochefoucauld vous paraît-il pessimiste ou assez juste observateur de la réalité? Connaissez-vous des cas amusants ou agaçants — dans la littérature ou dans votre expérience personnelle — qui illustrent la maxime 313?

322*. Il n'y a que ceux qui sont méprisables qui craignent d'être méprisés.

323*. Notre sagesse n'est pas moins à la merci de la fortune[123] que nos biens.

324*. Il y a dans la jalousie plus d'amour-propre que d'amour.

325*. Nous nous consolons souvent, par faiblesse, des maux dont la raison n'a pas la force de nous consoler.

326*. Le ridicule déshonore plus que le déshonneur.

327*. Nous n'avouons de petits défauts que pour persuader que nous n'en avons pas de grands.

328*. L'envie est plus irréconciliable que la haine.

329. On croit quelquefois haïr la flatterie, mais on ne hait que la manière de flatter. **(51)**

330*. On pardonne tant que l'on aime.

331. Il est plus difficile d'être fidèle à sa maîtresse[124] quand on est heureux que quand on en[125] est maltraité[126].

332*. Les femmes ne connaissent pas toute[127] leur coquetterie.

333*. Les femmes n'ont point de sévérité complète sans aversion.

334*. Les femmes peuvent moins surmonter leur coquetterie que leur passion.

---

123. *Fortune :* voir la maxime 1 et la note 9; 124. *Maîtresse :* voir la maxime 111 et la note 57; 125. *En :* voir la maxime 83 et la note 47; 126. Maxime ajoutée dans l'édition de 1678; 127. *Toute :* sous tous ses aspects.

--- **QUESTIONS** ---

51. Distinguez les différents défauts dont il est question ici. — A qui s'adresse la maxime 320? En quoi peut-elle passer pour paradoxale? Quelle qualité suppose-t-elle aux princes? — Les marques de l'orgueil dans la maxime 322; son rôle d'après les maximes 326, 327 et 329. — Expliquez et illustrez par un exemple précis la maxime 323.

335*. Dans l'amour, la tromperie va presque toujours plus loin que la méfiance.

336*. Il y a une certaine sorte d'amour dont l'excès empêche la jalousie.

337. Il est de certaines bonnes qualités[128] comme des sens : ceux qui en sont entièrement privés ne les peuvent apercevoir, ni les comprendre.

338. Lorsque notre haine est trop vive, elle nous met au-dessous de ceux que nous haïssons.

339*. Nous ne ressentons nos biens et nos maux qu'à proportion de notre amour-propre.

340.* L'esprit de la plupart des femmes sert plus à fortifier leur folie que leur raison.

Maximes ajoutées dans l'édition de 1675.

341. Les passions de la jeunesse ne sont guère plus opposées au salut que la tiédeur des vieilles gens.

342. L'accent du pays où l'on est né demeure dans l'esprit et dans le cœur, comme dans le langage.

343*. Pour être un grand homme, il faut savoir profiter de toute sa fortune[129].

344. La plupart des hommes ont, comme les plantes, des propriétés cachées que le hasard fait découvrir.

345. Les occasions nous font connaître aux autres, et encore plus à nous-mêmes.

346*. Il ne peut y avoir de règle dans l'esprit ni dans le cœur des femmes, si le tempérament n'en est d'accord.

---

128. *Qualité* : voir la maxime 29 et la note 24; **129**. *Fortune* : voir la maxime 1 et la note 9; pour *toute*, voir la maxime 332 et la note 127.

347. Nous ne trouvons guère de gens de bon sens que ceux qui sont de notre avis.

348*. Quand on aime, on doute souvent de ce qu'on croit le plus.

349*. Le plus grand miracle de l'amour, c'est de guérir de la coquetterie. **(52)**

350*. Ce qui nous donne tant d'aigreur contre ceux qui nous font des finesses[130], c'est qu'ils croient être plus habiles que nous.

351. On a bien de la peine à rompre quand on ne s'aime plus.

352*. On s'ennuie presque toujours avec les gens avec qui il n'est pas permis de s'ennuyer.

353. Un honnête homme peut être amoureux comme un fou, mais non pas comme un sot.

354. Il y a de certains défauts qui, bien mis en œuvre, brillent plus que la vertu même.

355. On perd quelquefois des personnes qu'on regrette plus qu'on n'en[131] est affligé ; et d'autres dont on est affligé, et qu'on ne regrette guère.

356*. Nous ne louons d'ordinaire de bon cœur que ceux qui nous admirent.

---

130. *Finesse :* voir la maxime 117 et la note 59 ; 131. *En* reprend l'idée de la proposition principale : « la perte de ces personnes ».

──────── **QUESTIONS** ────────

52. Peut-on, d'après ce groupe de maximes et en se reportant aux autres qui traitent du même sujet (voir l'Index, page 19), essayer de déterminer la doctrine de La Rochefoucauld sur l'amour et sur les femmes ? Dans quelle mesure ces constatations peuvent-elles s'appliquer à la haine ? Rapprochez les maximes 634, 638 et 640 de celles-ci. Comment se rattachent à ce thème, dans une certaine mesure, les autres maximes de ce groupe ? — Quelles maximes, parmi les suivantes immédiates, peuvent se rattacher à cette série ? — La maxime 347 est-elle très originale ? En quoi ? — Quel est le sens d'*occasion* dans la maxime 345 ?

357. Les petits esprits sont trop blessés de petites choses; les grands esprits les voient toutes, et n'en sont point blessés.

358. L'humilité est la véritable preuve des vertus chrétiennes : sans elle, nous conservons tous nos défauts, et ils sont seulement couverts par l'orgueil, qui les cache aux autres, et souvent à nous-mêmes.

359. Les infidélités devraient éteindre l'amour, et il ne faudrait point être jaloux, quand on a sujet de l'être : il n'y a que les personnes qui évitent de donner de la jalousie qui soient dignes qu'on en ait pour elles.

360*. On se décrie beaucoup plus auprès de nous par les moindres infidélités qu'on nous fait, que par les plus grandes qu'on fait aux autres.

361*. La jalousie naît toujours avec l'amour, mais elle ne meurt pas toujours avec lui.

362. La plupart des femmes ne pleurent pas tant la mort de leurs amants pour les avoir aimés, que pour paraître plus dignes d'être aimées. **(53)**

363. Les violences qu'on nous fait nous font souvent moins de peine que celles que nous nous faisons à nous-mêmes.

364. On sait assez qu'il ne faut guère parler de sa femme, mais on ne sait pas assez qu'on devrait encore moins parler de soi.

365. Il y a de bonnes qualités[132] qui dégénèrent en défauts

---

132. *Qualité* : voir la maxime 29 et la note 24.

───────── **QUESTIONS** ─────────────────

53. Montrez que jalousie, infidélité et affectivité sont les thèmes selon lesquels se répartissent ces différentes réflexions. Faites ici la part des réflexions originales et celle des vérités générales ou habituellement admises. — Le caractère particulier de la maxime 358 dans l'ensemble de l'œuvre : est-elle aussi négative que les autres paraissent l'être? Rapprochez-la des maximes 254 et 537 en montrant leur caractère essentiellement chrétien. — La sincérité du regret chez La Rochefoucauld d'après les maximes 232, 233, 362, 373, 573 et 612.

quand elles sont naturelles, et d'autres qui ne sont jamais parfaites quand elles sont acquises : il faut, par exemple, que la raison nous fasse ménagers[133] de notre bien et de notre confiance; et il faut, au contraire, que la nature nous donne la bonté et la valeur.

366. Quelque défiance que nous ayons de la sincérité de ceux qui nous parlent, nous croyons toujours qu'ils nous disent plus vrai qu'aux autres.

367. Il y a peu d'honnêtes femmes qui ne soient lasses de leur métier.

368*. La plupart des honnêtes femmes sont des trésors cachés, qui ne sont en sûreté que parce qu'on ne les cherche pas.

369*. Les violences qu'on se fait pour s'empêcher d'aimer sont souvent plus cruelles que les rigueurs de ce qu'on aime.

370*. Il n'y a guère de poltrons qui connaissent toujours toute[134] leur peur.

371*. C'est presque toujours la faute de celui qui aime de ne pas connaître quand on cesse de l'aimer. **(54)**

372*. La plupart des jeunes gens croient être naturels, lorsqu'ils ne sont que mal polis et grossiers[135].

373*. Il y a de certaines larmes qui nous trompent souvent nous-mêmes, après avoir trompé les autres.

---

133. *Ménager* : économe; 134. *Tout* : voir la maxime 332 et la note 127; 135. Maxime ajoutée dans l'édition de 1678.

QUESTIONS
---

54. En quoi la notion de contrainte peut-elle donner une certaine unité à ce groupe de maximes? Cherchez leur domaine d'application (amour, discrétion, etc.). — Expliquez la maxime 366 : quel défaut se trouve ici mis en lumière? Est-ce toujours justifié? — Le caractère satirique des maximes 367 et 368; qu'implique l'emploi du mot *métier?* Expliquez le sous-entendu et discutez le bien-fondé de la remarque. — Sens de la maxime 370. — Montrez la vérité profonde de la maxime suivante; cherchez des faits psychologiques qui la justifient.

374. Si on croit aimer sa maîtresse[136] pour l'amour d'elle, on est bien trompé. **(55)**

375*. Les esprits médiocres condamnent d'ordinaire tout ce qui passe à leur portée[137].

376*. L'envie est détruite par la véritable amitié, et la coquetterie par le véritable amour.

377. Le plus grand défaut de la pénétration n'est pas de n'aller point jusqu'au but, c'est de le passer.

378. On donne des conseils, mais on n'inspire point de conduite.

379. Quand notre mérite baisse, notre goût baisse aussi. **(56)**

380*. La fortune[138] fait paraître nos vertus et nos vices, comme la lumière fait paraître les objets.

381. La violence qu'on se fait pour demeurer fidèle à ce qu'on aime ne vaut guère mieux qu'une infidélité.

382. Nos actions sont comme les bouts-rimés, que chacun fait rapporter à ce qu'il lui plaît.

383. L'envie de parler de nous, et de faire voir nos défauts du côté que nous voulons bien les montrer, fait une grande partie de notre sincérité.

384*. On ne devrait s'étonner que de pouvoir encore s'étonner.

---

136. *Maîtresse :* voir la maxime 111 et la note 57; **137.** Maxime ajoutée dans l'édition de 1678; **138.** *Fortune :* voir la maxime 1 et la note 9.

─────── **QUESTIONS** ───────

55. Rapprochez la maxime 372 de La Bruyère, *Caractères*, VIII, 74, et de l'opinion de Molière sur les petits marquis, d'une manière générale. — Sens de la maxime 374. Rattachez à celle-ci la maxime 563.

56. Les différents aspects de la lucidité et de la pénétration d'esprit d'après ce passage. Dans quelle mesure peut-on rapprocher la maxime 632 de celles-ci? — Sens et portée de la maxime 375, de la maxime 377.

385*. On est presque également difficile à contenter quand on a beaucoup d'amour, et quand on n'en a plus guère.

386. Il n'y a point de gens qui aient plus souvent tort que ceux qui ne peuvent souffrir d'en avoir.

387. Un sot n'a pas assez d'étoffe pour être bon. **(57)**

388*. Si la vanité ne renverse pas entièrement les vertus, du moins elle les ébranle toutes.

389*. Ce qui nous rend la vanité des autres insupportable, c'est qu'elle blesse la nôtre.

390*. On renonce plus aisément à son intérêt qu'à son goût.

391. La fortune[139] ne paraît jamais si aveugle qu'à ceux à qui elle ne fait pas de bien.

392. Il faut gouverner la fortune comme la santé : en jouir quand elle est bonne, prendre patience quand elle est mauvaise, et ne faire jamais de grands remèdes sans un extrême besoin.

393*. L'air bourgeois se perd quelquefois à l'armée, mais il ne se perd jamais à la cour.

394. On peut être plus fin qu'un autre, mais non pas plus fin que tous les autres.

---

139. *Fortune* : voir la maxime 1 et la note 9.

─────── **QUESTIONS** ───────

57. En quel sens la maxime 380 témoigne-t-elle d'une observation juste? Précisez la signification exacte de *paraître* dans ces conditions. — La sincérité est-elle souvent commandée par les mobiles que décèle La Rochefoucauld (maxime 383), d'après les observations que vous avez pu faire? — Le caractère désabusé de la maxime 384; soulignez que celle-ci ne vise que les actions humaines et leurs motifs. Construction de cette maxime au point de vue stylistique : la symétrie rigoureuse des deux éléments de la phrase; vérifiez-la terme à terme. L'importance de la répétition; mettez en évidence l'opposition des deux verbes et des deux adverbes.

395*. On est quelquefois moins malheureux d'être trompé de ce qu'on aime, que d'en être détrompé.

396. On garde longtemps son premier amant, quand on n'en prend point de second.

397*. Nous n'avons pas le courage de dire, en général, que nous n'avons point de défauts, et que nos ennemis n'ont point de bonnes qualités[140]; mais, en détail, nous ne sommes pas trop éloignés de le croire.

398. De tous nos défauts, celui dont nous demeurons le plus aisément d'accord, c'est de la paresse : nous nous persuadons qu'elle tient[141] à toutes les vertus paisibles, et que, sans détruire entièrement les autres, elle en suspend seulement les fonctions. **(58)**

399. Il y a une élévation qui ne dépend point de la fortune[142] : c'est un certain air qui nous distingue et qui semble nous destiner aux grandes choses; c'est un prix que nous nous donnons imperceptiblement à nous-mêmes; c'est par cette qualité que nous usurpons les déférences des autres hommes, et c'est elle d'ordinaire qui nous met plus au-dessus d'eux que la naissance, les dignités, et le mérite même.

400*. Il y a du mérite sans élévation, mais il n'y a point d'élévation sans quelque mérite.

401*. L'élévation est au mérite ce que la parure est aux belles personnes. **(59)**

---

140. *Qualité :* voir la maxime 29 et la note 24; 141. *Tenir à :* être lié à; 142. *Fortune :* voir la maxime 1 et la note 9.

─── QUESTIONS ───

58. Quel défaut vise la maxime 391 sous le couvert de la *fortune?* L'idée est-elle très neuve? D'où vient l'intérêt de cette réflexion? Quelle attitude se déduit de la maxime 392? — Rapprochez, pour l'esprit et pour la forme, les maximes 391 et 397.

59. En quoi consiste l'*élévation?* Distinguez-la du *mérite*, de la *fortune;* est-elle à dominante objective ou subjective? Quel terme moderne pourriez-vous donner comme équivalent?

402. Ce qui se trouve le moins dans la galanterie[143], c'est de l'amour.

403*. La fortune se sert quelquefois de nos défauts pour nous élever, et il y a des gens incommodes dont le mérite serait mal récompensé si on ne voulait acheter leur absence.

404*. Il semble que la nature ait caché dans le fond de notre esprit des talents et une habileté que nous ne connaissons pas; les passions seules ont le droit de les mettre au jour, et de nous donner quelquefois des vues plus certaines et plus achevées que l'art ne saurait faire.

405*. Nous arrivons tout nouveaux aux divers âges de la vie, et nous y manquons souvent d'expérience, malgré le nombre des années.

406. Les coquettes se font honneur d'être jalouses de leurs amants, pour cacher qu'elles sont envieuses des autres femmes.

407*. Il s'en faut bien que ceux qui s'attrapent à nos finesses[144] ne nous paraissent aussi ridicules que nous nous le paraissons à nous-mêmes, quand les finesses des autres nous ont attrapés.

408*. Le plus dangereux ridicule des vieilles personnes qui ont été aimables[145], c'est d'oublier qu'elles ne le sont plus.

409*. Nous aurions souvent honte de nos plus belles actions, si le monde voyait tous les motifs qui les produisent.

410. Le plus grand effort[146] de l'amitié n'est pas de montrer nos défauts à un ami; c'est de lui faire voir les siens.

411*. On n'a guère de défauts qui ne soient plus pardonnables que les moyens dont on se sert pour les cacher.

412. Quelque honte que nous ayons méritée, il est presque toujours en notre pouvoir de rétablir notre réputation. **(60)**

---

143. *Galanterie* : voir la maxime 73 et la note 55; **144.** *Finesse* : voir la maxime 117 et la note 59; **145.** *Aimable* : voir la maxime 48 et la note 32; **146.** *Effort* : haut fait.

— **QUESTIONS** —

Questions 60, v. p. 79.

Maximes ajoutées dans l'édition de 1678.

413. On ne plaît pas longtemps quand on n'a qu'une sorte d'esprit.

414. Les fous et les sottes gens ne voient que par leur humeur.

415. L'esprit nous sert quelquefois à faire hardiment des sottises.

416*. La vivacité qui augmente en vieillissant ne va pas loin de la folie.

417*. En amour, celui qui est guéri le premier est toujours le mieux guéri.

418*. Les jeunes femmes qui ne veulent point paraître coquettes, et les hommes d'un âge avancé qui ne veulent pas être ridicules, ne doivent jamais parler de l'amour comme d'une chose où ils puissent avoir part.

419. Nous pouvons paraître grands dans un emploi au-dessous de notre mérite, mais nous paraissons souvent petits dans un emploi plus grand que nous.

420. Nous croyons souvent avoir de la constance dans les malheurs, lorsque nous n'avons que de l'abattement, et nous les souffrons sans oser les regarder, comme les poltrons se laissent tuer de peur de se défendre.

421*. La confiance fournit plus à la conversation que l'esprit.

422. Toutes les passions nous font faire des fautes, mais l'amour nous en fait faire de plus ridicules.

───────────── **QUESTIONS** ─────────────

60. Quel est le thème sur lequel portent les maximes 402, 406, 408 et, dans une certaine mesure, 410? — Expliquez le sens de la maxime 403; quel lien y a-t-il entre les deux éléments de la phrase? Comment se rattachent à celle-ci les maximes 404, 405 et 411? — Montrez que les maximes 407 et 408 présentent le ridicule sous deux aspects différents : intérieur et objectif. Comment se justifie le qualificatif de *dangereux* (maxime 408)? — L'optimisme relatif de la maxime 412.

423. Peu de gens savent être vieux.

424*. Nous nous faisons honneur des défauts opposés à ceux que nous avons : quand nous sommes faibles, nous nous vantons d'être opiniâtres.

425. La pénétration a un air de deviner, qui flatte plus notre vanité que toutes les autres qualités de l'esprit. **(61)**

426*. La grâce de la nouveauté et la longue habitude, quelque opposées qu'elles soient, nous empêchent également de sentir les défauts de nos amis.

427*. La plupart des amis dégoûtent de l'amitié, et la plupart des dévots dégoûtent de la dévotion.

428*. Nous pardonnons aisément à nos amis les défauts qui ne nous regardent pas[147].

429*. Les femmes qui aiment pardonnent plus aisément les grandes indiscrétions[148] que les petites infidélités.

430*. Dans la vieillesse de l'amour, comme dans celle de l'âge, on vit encore pour les maux, mais on ne vit plus pour les plaisirs. **(62)**

---

147. Qui ne risquent pas de nous porter préjudice ; **148.** *Indiscrétion :* manque de jugement.

──────── **QUESTIONS** ────────

61. Essayez de situer les unes par rapport aux autres les notions d'*esprit*, de *sottise* et de *folie* dans ce passage, en utilisant en particulier les maximes 413, 414, 415, 416, 421 et 425. — La Rochefoucauld et la vieillesse d'après les maximes 416, 418 et 423. — Quelle signification peut-on donner au mot *confiance* dans la maxime 421? Celle-ci vous paraît-elle née d'une observation juste de la réalité la plus courante? — La maxime 424 : justesse relative; *faiblesse* et *opiniâtreté* sont-elles inconciliables ou les rencontre-t-on assez fréquemment associées?

62. Justifiez par un commentaire et des exemples précis les deux aspects de la maxime 426. En quoi les termes de *grâce* et de *longue* sont-ils déjà explicatifs? — Dans quels cas le pardon est-il aisément donné d'après les maximes 428 et 429? — Soulignez le caractère désabusé des maximes 427 et 430; montrez que de tels passages sont responsables de la réputation faite à La Rochefoucauld.

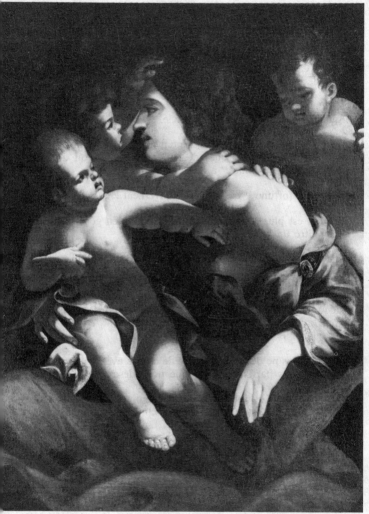

Une des nombreuses vertus
malmenées par l'analyse impitoyable de La Rochefoucauld :
la Charité.

Peinture de Simon Vouet (1590-1649).
Béziers, musée des Beaux-Arts.

431. Rien n'empêche tant d'être naturel que l'envie de le paraître.

432*. C'est, en quelque sorte, se donner part aux belles actions que de les louer de bon cœur.

433*. La plus véritable marque d'être né avec de grandes qualités, c'est d'être né sans envie.

434*. Quand nos amis nous ont trompés, on ne doit que de l'indifférence aux marques de leur amitié, mais on doit toujours de la sensibilité[149] à leurs malheurs.

435*. La fortune[150] et l'humeur gouvernent le monde.

436. Il est plus aisé de connaître l'homme en général, que de connaître un homme en particulier.

437*. On ne doit pas juger du mérite d'un homme par ses grandes qualités, mais par l'usage qu'il en sait faire. **(63)**

438*. Il y a une certaine reconnaissance vive, qui ne nous acquitte pas seulement des bienfaits que nous avons reçus, mais qui fait même que nos amis nous doivent, en leur payant ce que nous leur devons.

439*. Nous ne désirerions guère de choses avec ardeur, si nous connaissions parfaitement ce que nous désirons.

440*. Ce qui fait que la plupart des femmes sont peu touchées de l'amitié[151], c'est qu'elle est fade quand on a senti de l'amour.

---

149. *Sensibilité* : vif intérêt; 150. *Fortune* : voir la maxime 1 et la note 9; 151. *Amitié* : voir la maxime 72 et la note 38.

QUESTIONS ————————————

63. Quelle idée peut-on se faire du mérite d'après les maximes 433 et 437? En quoi peut-on rapprocher ces maximes de l'image du héros cornélien? Êtes-vous d'accord avec La Rochefoucauld sur ce point? — La maxime 436 : ne risque-t-elle pas de ruiner l'entreprise du moraliste, ou du moins sa portée? L'avertissement ainsi donné au lecteur que certaines formules peuvent séduire.

441*. Dans l'amitié, comme dans l'amour, on est souvent plus heureux par les choses qu'on ignore que par celles que l'on sait.

442*. Nous essayons de nous faire honneur des défauts que nous ne voulons pas corriger.

443*. Les passions les plus violentes nous laissent quelquefois du relâche[152], mais la vanité nous agite toujours.

444. Les vieux fous sont plus fous que les jeunes.

445*. La faiblesse est plus opposée à la vertu que le vice.

446. Ce qui rend les douleurs de la honte et de la jalousie si aiguës, c'est que la vanité ne peut servir à les supporter.

447. La bienséance est la moindre de toutes les lois, et la plus suivie.

448*. Un esprit droit a moins de peine de se soumettre aux esprits de travers que de les conduire.

449*. Lorsque la fortune[153] nous surprend en nous donnant une grande place, sans nous y avoir conduit par degrés, ou sans que nous nous y soyons élevé par nos espérances, il est presque impossible de s'y bien soutenir[154], et de paraître digne de l'occuper. **(64)**

450*. Notre orgueil s'augmente souvent de ce que nous retranchons de nos autres défauts.

---

152. *Relâche :* voir la maxime 193 et la note 90; 153. *Fortune :* voir la maxime 1 et la note 9; 154. *Se soutenir :* s'illustrer.

──────── **QUESTIONS** ────────

64. Cherchez dans ce passage des maximes de caractère positif; montrez qu'une d'elles, la plus nette sur ce point, reste assortie d'une contrepartie en quelque sorte limitative. — Analysez la maxime 445; rapprochez-la de toutes les autres qui portent sur le même sujet (voir l'Index, page 19) et essayez de déterminer la position de La Rochefoucauld sur la *faiblesse*. — En quoi et dans quelle mesure la maxime 448 est-elle juste? Définissez au préalable ce que l'on peut appeler un *esprit droit* et un *esprit de travers*.

451. Il n'y a point de sots si incommodes que ceux qui ont de l'esprit.

452*. Il n'y a point d'homme qui se croie, en chacune de ses qualités, au-dessous de l'homme du monde qu'il estime le plus.

453*. Dans les grandes affaires, on doit moins s'appliquer à faire naître des occasions, qu'à profiter de celles qui se présentent.

454. Il n'y a guère d'occasion où l'on fît un méchant[155] marché de renoncer au bien qu'on dit de nous, à condition de n'en dire point de mal.

455*. Quelque disposition qu'ait le monde à mal juger, il fait encore plus souvent grâce au faux mérite qu'il ne fait injustice au véritable.

456. On est quelquefois un sot avec de l'esprit, mais on ne l'est jamais avec du jugement.

457*. Nous gagnerions plus de nous laisser voir tels que nous sommes, que d'essayer de paraître ce que nous ne sommes pas.

458*. Nos ennemis approchent plus de la vérité dans les jugements qu'ils font de nous, que nous n'en approchons nous-mêmes. **(65)**

459. Il y a plusieurs remèdes qui guérissent de l'amour, mais il n'y en a point d'infaillibles.

460*. Il s'en faut bien que nous connaissions tout ce que nos passions nous font faire.

---

155. *Méchant :* voir la maxime 133 et la note 66.

═══ QUESTIONS ═══

65. Analysez la notion de *jugement* d'après ces maximes : différents sens, diverses applications. Ses relations avec le bon sens, avec l'*esprit* et avec la *sottise* (maximes 451 et 456), avec la vanité et l'orgueil (maximes 450, 452, 457). La maxime 458 apporte-t-elle une idée très originale? Pourquoi? D'où vient son apparence piquante? Rapprochez-la de la maxime 455; relation avec la maxime 457.

461*. La vieillesse est un tyran qui défend, sur peine de la vie, tous les plaisirs de la jeunesse.

462. Le même orgueil qui nous fait blâmer les défauts dont nous nous croyons exempts nous porte à mépriser les bonnes qualités[156] que nous n'avons pas.

463*. Il y a souvent plus d'orgueil que de bonté à plaindre les malheurs de nos ennemis : c'est pour leur faire sentir que nous sommes au-dessus d'eux que nous leur donnons des marques de compassion. **(66)**

464*. Il y a un excès de biens et de maux qui passe notre sensibilité.

465*. Il s'en faut bien que l'innocence ne trouve autant de protection que le crime[157].

466*. De toutes les passions violentes, celle qui sied le moins mal aux femmes, c'est l'amour.

467*. La vanité nous fait faire plus de choses contre notre goût que la raison.

468*. Il y a de méchantes[158] qualités qui font de grands talents.

469*. On ne souhaite jamais ardemment ce qu'on ne souhaite que par raison.

470*. Toutes nos qualités[159] sont incertaines et douteuses, en bien comme en mal, et elles sont presque toutes à la merci des occasions.

471*. Dans les premières passions, les femmes aiment l'amant; et dans les autres, elles aiment l'amour.

---

156. *Qualité* : voir la maxime 29 et la note 24; 157. *Crime* : voir la maxime 183 et la note 87; 158. *Méchant* : voir la maxime 133 et la note 66; 159. *Qualité* : voir la maxime 29 et la note 24.

─────── **QUESTIONS** ───────

66. Deux aspects de l'orgueil : négatif dans la maxime 462, positif dans la maxime 463. Montrez-les. Rapprochez de ce passage les maximes 471, 568 et 628.

472*. L'orgueil a ses bizarreries, comme les autres passions : on a honte d'avouer que l'on ait de la jalousie, et on se fait honneur d'en avoir eu, et d'être capable d'en avoir.

473*. Quelque rare que soit le véritable amour, il l'est encore moins que la véritable amitié[160].

474*. Il y a peu de femmes dont le mérite dure plus que la beauté. **(67)**

475. L'envie d'être plaint ou d'être admiré fait souvent la plus grande partie de notre confiance.

476*. Notre envie dure toujours plus longtemps que le bonheur de ceux que nous envions.

477. La même fermeté qui sert à résister à l'amour sert aussi à le rendre violent et durable, et les personnes faibles, qui sont toujours agitées des passions, n'en sont presque jamais véritablement remplies.

478*. L'imagination ne saurait inventer tant de diverses contrariétés[161] qu'il y en a naturellement dans le cœur de chaque personne.

479*. Il n'y a que les personnes qui ont de la fermeté qui puissent avoir une véritable douceur : celles qui paraissent douces n'ont d'ordinaire que de la faiblesse, qui se convertit aisément en aigreur.

480*. La timidité est un défaut dont il est dangereux de reprendre les personnes qu'on en veut corriger.

481*. Rien n'est plus rare que la véritable bonté : ceux mêmes

---

160. *Amitié* : voir la maxime 72 et la note 38; 161. *Contrariété* : contradiction.

QUESTIONS

---

67. L'amour : le caractère paradoxal de la maxime 466; comment et dans quelle mesure cette dernière peut-elle néanmoins se justifier? A quel point de vue? Expliquez le sens de la maxime 471. Le scepticisme que témoigne la maxime 470 : analysez-le et rapprochez-le de la maxime 473.

qui croient en avoir n'ont d'ordinaire que de la complaisance ou de la faiblesse.

482*. L'esprit s'attache par paresse et par constance à ce qui lui est facile ou agréable : cette habitude met toujours des bornes à nos connaissances, et jamais personne ne s'est donné la peine d'étendre et de conduire son esprit aussi loin qu'il pourrait aller. **(68)**

483*. On est d'ordinaire plus médisant par vanité que par malice.

484*. Quand on a le cœur encore agité par les restes d'une passion, on est plus près d'en prendre une nouvelle que quand on est entièrement guéri.

485. Ceux qui ont eu de grandes passions se trouvent, toute leur vie, heureux et malheureux d'en être guéris. **(69)**

486*. Il y a encore plus de gens sans intérêt que sans envie.

487*. Nous avons plus de paresse dans l'esprit que dans le corps.

488. Le calme ou l'agitation de notre humeur ne dépend pas tant de ce qui nous arrive de plus considérable dans la vie, que d'un arrangement commode ou désagréable de petites choses qui arrivent tous les jours.

489*. Quelque méchants que soient les hommes, ils n'oseraient paraître ennemis de la vertu, et lorsqu'ils la veulent persécuter, ils feignent de croire qu'elle est fausse, ou ils lui supposent des crimes[162].

---

162. *Crime :* voir la maxime 183 et la note 87.

─────── ■ QUESTIONS ───────────────────

68. Peut-on dire que la constance soit toujours une vertu d'après ces maximes? Quelles relations entretient-elle avec la fermeté et la paresse? Étudiez en particulier les maximes 479, 481 et 482 sur ce point. Montrez la profonde justesse de la maxime 480. La maxime 477 est-elle juste?

69. Montrez la justesse de la maxime 484; en quoi serait-elle susceptible de servir de base à une intrigue romanesque? — Expliquez comment la satisfaction et le regret peuvent s'allier chez celui qui se trouve guéri d'une grande passion (maxime 485).

490. On passe souvent de l'amour à l'ambition, mais on ne revient guère de l'ambition à l'amour.

491*. L'extrême avarice[163] se méprend presque toujours : il n'y a point de passion qui s'éloigne plus souvent de son but, ni sur qui le présent ait tant de pouvoir, au préjudice de l'avenir.

492*. L'avarice produit souvent des effets contraires : il y a un nombre infini de gens qui sacrifient tout leur bien à des espérances douteuses et éloignées; d'autres méprisent de grands avantages à venir pour de petits intérêts présents. **(70)**

493*. Il semble que les hommes ne se trouvent pas assez de défauts : ils en augmentent encore le nombre par de certaines qualités singulières dont ils affectent de se parer, et ils les cultivent avec tant de soin qu'elles deviennent à la fin des défauts naturels qu'il ne dépend plus d'eux de corriger.

494*. Ce qui fait voir que les hommes connaissent mieux leurs fautes qu'on ne pense, c'est qu'ils n'ont jamais tort quand on les entend parler de leur conduite : le même amour-propre qui les aveugle d'ordinaire les éclaire alors, et leur donne des vues si justes, qu'il leur fait supprimer ou déguiser les moindres choses qui peuvent être condamnées. **(71)**

495. Il faut que les jeunes gens qui entrent dans le monde soient honteux ou étourdis : un air capable et composé se tourne d'ordinaire en impertinence.

496. Les querelles ne dureraient pas longtemps si le tort n'était que d'un côté.

---

163. *Avarice* : voir la maxime 11 et la note 14.

——— **QUESTIONS** ———

70. Quels visages de l'*avarice* nous offre ici La Rochefoucauld? Comparez-les au personnage d'Harpagon, dans l'*Avare* de Molière, et au Berger de La Fontaine (*Fables*, IV, II, première partie et moralité). Montrez en quoi le caractère passionnel de l'avarice explique ces erreurs de jugement que dénonce ici La Rochefoucauld.

71. Cette maxime efface-t-elle toutes celles qui dénoncent notre inconscience? Montrez qu'ici l'aveuglement et la mauvaise foi se liguent — d'une manière que vous expliquerez — pour aboutir au même résultat condamnable.

497. Il ne sert de rien d'être jeune sans être belle, ni d'être belle sans être jeune.

498. Il y a des personnes si légères et si frivoles, qu'elles sont aussi éloignées d'avoir de véritables défauts que des qualités solides.

499. On ne compte d'ordinaire la première galanterie[164] des femmes que lorsqu'elles en ont une seconde.

500*. Il y a des gens si remplis d'eux-mêmes, que, lorsqu'ils sont amoureux, ils trouvent moyen d'être occupés de leur passion sans l'être de la personne qu'ils aiment.

501. L'amour, tout agréable qu'il est, plaît encore plus par les manières dont il se montre que par lui-même.

502*. Peu d'esprit avec de la droiture ennuie moins, à la longue, que beaucoup d'esprit avec du travers.

503. La jalousie est le plus grand de tous les maux, et celui qui fait le moins de pitié aux personnes qui le causent. **(72)**

504. Après avoir parlé de la fausseté de tant de vertus apparentes, il est raisonnable de dire quelque chose de la fausseté du mépris de la mort : j'entends parler de ce mépris de la mort que les païens se vantent de tirer de leurs propres forces, sans l'espérance d'une meilleure vie. Il y a différence entre souffrir[165] la mort constamment[166] et la mépriser : le premier est assez ordinaire, mais je crois que l'autre n'est jamais sincère. On a écrit néanmoins tout ce qui peut le plus persuader que la mort n'est point un mal, et les hommes les plus faibles, aussi bien que les héros, ont donné mille exemples célèbres pour

---

164. *Galanterie :* voir la maxime 73 et la note 55 ; 165. *Souffrir :* voir la maxime 23 et la note 20 ; 166. *Constamment :* avec constance.

— **QUESTIONS** —

72. Analysez la maxime 498 : signification, portée plus ou moins générale. Rapprochez-en les maximes 584 et L. 241. — La maxime 500 n'explique-t-elle pas certains traits du donjuanisme? En quoi Valmont, dans *les Liaisons dangereuses* de Choderlos de Laclos, vérifiera-t-il cette critique, au point d'éprouver la passion qu'il joue, finalement, tout en l'analysant à l'intention d'un tiers? Rapprochez la maxime 563 de celle-ci.

établir cette opinion; cependant je doute que personne de bon sens l'ait jamais cru, et la peine que l'on prend pour le persuader aux autres et à soi-même fait assez voir que cette entreprise n'est pas aisée. On peut avoir divers sujets de dégoût dans la vie, mais on n'a jamais raison de mépriser la mort; ceux mêmes qui se la donnent volontairement ne la comptent pas pour si peu de chose, et ils s'en étonnent et la rejettent comme les autres, lorsqu'elle vient à eux par une autre voie que celle qu'ils ont choisie. L'inégalité que l'on remarque dans le courage d'un nombre infini de vaillants hommes vient de ce que la mort se découvre différemment à leur imagination, et y paraît plus présente en un temps qu'en un autre : ainsi il arrive qu'après avoir méprisé ce qu'ils ne connaissent pas, ils craignent enfin[167] ce qu'ils connaissent. Il faut éviter de l'envisager avec toutes ses circonstances, si on ne veut pas croire qu'elle soit le plus grand de tous les maux. Les plus habiles et les plus braves sont ceux qui prennent de plus honnêtes prétextes pour s'empêcher de la considérer; mais tout homme qui la sait voir telle qu'elle est trouve que c'est une chose épouvantable. La nécessité de mourir faisait toute la constance des philosophes : ils croyaient qu'il fallait aller de bonne grâce où l'on ne saurait s'empêcher d'aller; et ne pouvant éterniser leur vie, il n'y avait rien qu'ils ne fissent pour éterniser leur réputation, et sauver du naufrage ce qui n'en peut être garanti. Contentons-nous, pour faire bonne mine, de ne nous pas dire à nous-mêmes tout ce que nous en pensons, et espérons plus de notre tempérament que de ces faibles raisonnements qui nous font croire que nous pouvons approcher de la mort avec indifférence. La gloire de mourir avec fermeté, l'espérance d'être regretté, le désir de laisser une belle réputation, l'assurance d'être affranchi des misères de la vie, et de ne dépendre plus des caprices de la fortune[168], sont des remèdes qu'on ne doit pas rejeter; mais on ne doit pas croire aussi qu'ils soient infaillibles. Ils font, pour nous assurer[169], ce qu'une simple haie fait souvent à la guerre pour assurer ceux qui doivent approcher d'un lieu d'où l'on tire : quand on en est éloigné, on s'imagine qu'elle peut mettre à couvert; mais quand on en est proche, on trouve que c'est un faible secours. C'est nous flatter de croire que la mort nous paraisse

---

167. *Enfin :* à la fin; 168. *Fortune :* voir la maxime 1 et la note 9; 169. *Assurer :* rassurer.

de près ce que nous en avons jugé de loin, et que nos sentiments, qui ne sont que faiblesse, soient d'une trempe assez forte pour ne point souffrir d'atteinte par la plus rude de toutes les épreuves. C'est aussi mal connaître les effets de l'amour-propre que de penser qu'il puisse nous aider à compter pour rien ce qui le doit nécessairement détruire; et la raison, dans laquelle on croit trouver tant de ressources, est trop faible en cette rencontre pour nous persuader ce que nous voulons; c'est elle, au contraire, qui nous trahit le plus souvent, et qui, au lieu de nous inspirer le mépris de la mort, sert à nous découvrir ce qu'elle a d'affreux et de terrible; tout ce qu'elle peut faire pour nous est de nous conseiller d'en détourner les yeux, pour les arrêter sur d'autres objets. Caton[170] et Brutus[171] en choisirent d'illustres; un laquais se contenta, il y a quelque temps, de danser sur l'échafaud où il allait être roué. Ainsi, bien que les motifs soient différents, ils produisent les mêmes effets : de sorte qu'il est vrai que, quelque disproportion qu'il y ait entre les grands hommes et les gens du commun, on a vu mille fois les uns et les autres recevoir la mort d'un même visage; mais ç'a toujours été avec cette différence que, dans le mépris que les grands hommes font paraître pour la mort, c'est l'amour de la gloire qui leur en ôte la vue, et dans les gens du commun, ce n'est qu'un effet de leur peu de lumière qui les empêche de connaître la grandeur de leur mal, et leur laisse la liberté de penser à autre chose. **(73)**

---

170. *Caton* (d'Utique) [95-46 av. J.-C.] : stoïcien romain; **171.** *Brutus* (86-42 av. J.-C.) tua César et fut contraint au suicide.

═══════ **QUESTIONS** ═══════

73. Peut-on encore parler de maxime ici? Montrez qu'en plus de la longueur la structure interne et le style sont d'un autre ordre que dans les courtes sentences morales qui précèdent. En quoi le début de la première phrase situe la place de ce texte à la fin du recueil? — Le thème de cette réflexion : montrez que La Rochefoucauld s'attaque ici au stoïcisme (l'attitude qu'il critique; les noms anciens qu'il cite); pourquoi? Est-ce une philosophie à la mode? Rapprochez de Pascal, *Entretien avec M. de Sacy sur Épictète et Montaigne*. — Quelle différence y a-t-il entre supporter la mort et la mépriser? entre cette dernière attitude et le dégoût de la vie? Le rôle du bon sens dans l'attitude que l'on peut avoir à l'égard de la mort; celui de la résignation. En quoi les circonstances qui entourent généralement la mort rendent-elles cette dernière plus redoutable? — Relevez et discutez les divers moyens qui, selon La Rochefoucauld, permettent de ruser; la part de l'orgueil. En quoi l'appel à ce dernier, dans ce cadre, reste-t-il typique du point de vue de l'auteur sur la vie morale, tel qu'il s'est exprimé dans l'ensemble des *Maximes* jusqu'ici?

Joueurs
surpris par la Mort.
École italienne
du XVIIe s.
Musée de Bourges.

Phot. Giraudon.

MAXIMES POSTHUMES

Maximes provenant du manuscrit Gilbert.

505. Dieu a mis des talents différents dans l'homme, comme il a planté des arbres différents dans la nature, en sorte que chaque talent, ainsi que chaque arbre, a sa propriété et son effet qui lui sont particuliers. De là vient que le poirier le meilleur du monde ne saurait porter les pommes les plus communes, et que le talent le plus excellent ne saurait produire les mêmes effets du talent le plus commun; de là aussi vient qu'il est aussi ridicule de vouloir faire des sentences, sans en avoir la graine en soi, que de vouloir qu'un parterre produise des tulipes, quoiqu'on n'y ait point semé d'oignons.

506. On ne saurait compter toutes les espèces de vanité.

507. Tout le monde est plein de pelles qui se moquent du fourgon[172].

508. Ceux qui prisent trop leur noblesse ne prisent pas assez ce qui en est l'origine.

509*. Dieu a permis, pour punir l'homme du péché originel, qu'il se fît un dieu de son amour-propre, pour en être tourmenté dans toutes les actions de sa vie.

510. L'intérêt est l'âme de l'amour-propre, de sorte que comme le corps, privé de son âme, est sans vue, sans ouïe, sans connaissance, sans sentiment et sans mouvement; de même, l'amour-propre séparé, s'il le faut dire ainsi, de son intérêt, ne voit, n'entend, ne sent et ne se remue plus. De là vient qu'un même homme, qui court la terre et les mers pour son intérêt, devient soudainement paralytique pour l'intérêt des autres; de là vient ce soudain assoupissement et cette mort que nous causons à tous ceux à qui nous contons nos affaires; de là vient leur prompte résurrection lorsque, dans notre narration, nous y mêlons quelque chose qui les regarde : de sorte que nous

---

172. *Fourgon* : tisonnier.

voyons, dans nos conversations et dans nos traités, que, dans un même moment, un homme perd connaissance et revient à soi, selon que son propre intérêt s'approche de lui, ou qu'il s'en retire.

511. Nous craignons toutes choses comme mortels[173], et nous désirons toutes choses comme si nous étions immortels.

512. Il semble que c'est le diable qui a tout exprès placé la paresse sur la frontière de plusieurs vertus.

513. Ce qui nous fait croire si aisément que les autres ont des défauts, c'est la facilité que l'on a de croire ce que l'on souhaite.

514. Le remède de la jalousie est la certitude de ce qu'on a craint, parce qu'elle cause la fin de la vie, ou la fin de l'amour; c'est un cruel remède, mais il est plus doux que le doute et les soupçons.

515. L'espérance et la crainte sont inséparables, et il n'y a point de crainte sans espérance, ni d'espérance sans crainte.

516. Il ne faut pas s'offenser que les autres nous cachent la vérité, puisque nous nous la cachons si souvent à nous-mêmes.

517. Ce qui nous empêche souvent de bien juger des sentences qui prouvent la fausseté des vertus, c'est que nous croyons trop aisément qu'elles sont véritables en nous.

518*. La dévotion[174] qu'on donne aux princes est un second amour-propre.

519. La fin du bien est un mal, et la fin du mal est un bien.

520. Les philosophes ne condamnent les richesses que par le mauvais usage que nous en faisons; il dépend de nous de les acquérir et de nous en servir sans crime[175]; et au lieu qu'elles

---

173. En tant que nous sommes mortels; 174. *Dévotion* : attachement, fidélité; 175. *Crime ;* voir la maxime 183 et la note 87.

nourrissent et accroissent les crimes, comme le bois entretient le feu, nous pouvons les consacrer à toutes les vertus, et les rendre même par là plus agréables et plus éclatantes.

521*. La ruine du prochain plaît aux amis et aux ennemis.

522. Comme la plus heureuse personne du monde est celle à qui peu de chose suffit, les grands et les ambitieux sont en ce point les plus misérables, puisqu'il leur faut l'assemblage d'une infinité de biens pour les rendre heureux.

523. Une preuve convaincante que l'homme n'a pas été créé comme il est, c'est que, plus il devient raisonnable, et plus il rougit en lui-même de l'extravagance, de la bassesse et de la corruption de ses sentiments et de ses inclinations.

524*. Ce qui fait tant disputer contre les maximes qui découvrent le cœur de l'homme, c'est que l'on craint d'y être découvert.

525*. Le pouvoir que les personnes que nous aimons ont sur nous est presque toujours plus grand que celui que nous y avons nous-mêmes.

526*. On blâme aisément les défauts des autres, mais on s'en sert rarement à corriger les siens.

527. L'homme est si misérable, que tournant toute sa conduite à satisfaire ses passions, il gémit incessamment[176] sur leur tyrannie : il ne peut supporter ni leur violence, ni celle qu'il faut qu'il se fasse pour s'affranchir de leur joug; il trouve du dégoût, non seulement en elles, mais dans leurs remèdes, et ne peut s'accommoder ni du chagrin de sa maladie, ni du travail de sa guérison.

528*. Les biens et les maux qui nous arrivent ne nous touchent pas selon leur grandeur, mais selon notre sensibilité.

529*. La finesse[177] n'est qu'une pauvre habileté.

---

176. *Incessamment* : sans cesse; 177. *Finesse* : voir la maxime 117 et la note 59.

Maximes provenant de la correspondance de La Rochefoucauld.

530. On ne donne des louanges que pour en profiter.

531*. Les passions ne sont que les divers goûts de l'amour-propre.

532*. L'extrême ennui[178] sert à nous désennuyer.

533. On loue et on blâme la plupart des choses parce que c'est la mode de les louer ou de les blâmer.

Maximes provenant de l'édition posthume de 1693.

534*. Force gens veulent être dévots, mais personne ne veut être humble.

535*. Le travail du corps délivre des peines de l'esprit, et c'est ce qui rend les pauvres heureux.

536*. Les véritables mortifications sont celles qui ne sont point connues; la vanité rend les autres faciles.

537*. L'humilité est l'autel sur lequel Dieu veut qu'on lui offre des sacrifices.

538*. Il faut peu de choses pour rendre le sage heureux; rien ne peut rendre un fol content; c'est pourquoi presque tous les hommes sont misérables[179].

539*. Nous nous tourmentons moins pour devenir heureux que pour faire croire que nous le sommes.

540*. Il est bien plus aisé d'éteindre un premier désir que de satisfaire tous ceux qui le suivent.

541*. La sagesse est à l'âme ce que la santé est pour le corps.

---

178. *Ennui* : voir la maxime 172 et la note 81; **179.** *Misérable* : extrêmement malheureux.

542*. Les grands de la terre ne pouvant donner la santé du corps ni le repos d'esprit, on achète toujours trop cher tous les biens qu'ils peuvent faire.

543*. Avant que de désirer fortement une chose, il faut examiner quel est le bonheur de celui qui la possède.

544*. Un véritable ami est le plus grand de tous les biens et celui de tous qu'on songe le moins à acquérir.

545*. Les amants ne voient les défauts de leurs maîtresses que lorsque leur enchantement est fini.

546*. La prudence[180] et l'amour ne sont pas faits l'un pour l'autre : à mesure que l'amour croît, la prudence diminue.

547*. Il est quelquefois agréable à un mari d'avoir une femme jalouse : il entend toujours parler de ce qu'il aime.

548*. Qu'une femme est à plaindre, quand elle a tout ensemble de l'amour et de la vertu!

549*. Le sage trouve mieux son compte à ne point s'engager qu'à vaincre.

550*. Il est plus nécessaire d'étudier les hommes que les livres.

551*. Le bonheur ou le malheur vont d'ordinaire à ceux qui ont le plus de l'un ou de l'autre.

552*. Une honnête femme est un trésor caché; celui qui l'a trouvé fait fort bien de ne s'en pas vanter.

553*. Quand nous aimons trop, il est malaisé de reconnaître si l'on cesse de nous aimer.

554*. On ne se blâme que pour être loué.

555*. On s'ennuie presque toujours avec ceux que l'on ennuie.

---

180. *Prudence* : voir la maxime 65 et la note 36.

556. Il n'est jamais plus difficile de bien parler que quand on a honte de se taire.

557*. Il n'est rien de plus naturel ni de plus trompeur que de croire qu'on est aimé.

558*. Nous aimons mieux voir ceux à qui nous faisons du bien que ceux qui nous en font.

559*. Il est plus difficile de dissimuler les sentiments que l'on a que de feindre ceux que l'on n'a pas.

560*. Les amitiés[181] renouées demandent plus de soins que celles qui n'ont jamais été rompues.

561*. Un homme à qui personne ne plaît est bien plus malheureux que celui qui ne plaît à personne.

Maxime recueillie par Saint-Évremond.

562*. L'enfer des femmes, c'est la vieillesse.

---

181. *Amitié* : voir la maxime 72 et la note 38.

MAXIMES SUPPRIMÉES

563. L'amour-propre est l'amour de soi-même et de toutes choses pour soi; il rend les hommes idolâtres d'eux-mêmes, et les rendrait les tyrans des autres, si la fortune[182] leur en donnait les moyens. Il ne se repose jamais hors de soi, et ne s'arrête dans les sujets étrangers que comme les abeilles sur les fleurs, pour en tirer ce qui lui est propre. Rien n'est si impétueux que ses désirs; rien de si caché que ses desseins, rien de si habile que ses conduites; ses souplesses ne se peuvent représenter, ses transformations passent celles des métamorphoses, et ses raffinements ceux de la chimie. On ne peut sonder la profondeur, ni percer les ténèbres de ses abîmes : là il est à couvert des yeux les plus pénétrants; il y fait mille insensibles tours et retours; là il est souvent invisible à lui-même; il y conçoit, il y nourrit et il y élève, sans le savoir, un grand nombre d'affections et de haines; il en forme de si monstrueuses que, lorsqu'il les a mises au jour, il les méconnaît, ou il ne peut se résoudre à les avouer. De cette nuit qui le couvre naissent les ridicules persuasions qu'il a de lui-même : de là viennent ses erreurs, ses ignorances, ses grossièretés et ses niaiseries sur son sujet; de là vient qu'il croit que ses sentiments sont morts lorsqu'ils ne sont qu'endormis, qu'il s'imagine n'avoir plus envie de courir dès qu'il se repose, et qu'il pense avoir perdu tous les goûts qu'il a rassasiés. Mais cette obscurité épaisse qui le cache à lui-même, n'empêche pas qu'il ne voie parfaitement ce qui est hors de lui : en quoi il est semblable à nos yeux, qui découvrent tout et sont aveugles seulement pour eux-mêmes. En effet, dans ses plus grands intérêts et dans ses plus importantes affaires, où la violence de ses souhaits appelle toute son attention, il voit, il sent, il entend, il imagine, il soupçonne, il pénètre, il devine tout, de sorte qu'on est tenté de croire que chacune de ses passions a une espèce de magie qui lui est propre. Rien n'est si intime et si fort que ses attachements qu'il essaye de rompre inutilement à la vue des malheurs extrêmes qui le menacent. Cependant il fait quelquefois, en peu de temps et sans aucun effort, ce qu'il n'a pu faire avec tous ceux dont il est capable dans le cours

---

182. *Fortune :* voir la maxime 1 et la note 9.

de plusieurs années : d'où l'on pourrait conclure assez vraisem-
blablement que c'est par lui-même que ses désirs sont allumés,
plutôt que par la beauté et par le mérite de ses objets; que son
goût est le prix qui les relève et le fard qui les embellit; que
c'est après lui-même qu'il court, et qu'il suit son gré, lorsqu'il
suit les choses qui sont à son gré. Il est tous les contraires :
il est impérieux et obéissant, sincère et dissimulé, miséricordieux
et cruel, timide et audacieux. Il a de différentes inclinations,
selon la diversité des tempéraments qui le tournent et le dévouent
tantôt à la gloire, tantôt aux richesses, et tantôt aux plaisirs;
il en change selon le changement de nos âges, de nos fortunes
et de nos expériences, mais il lui est indifférent d'en avoir
plusieurs ou de n'en avoir qu'une, parce qu'il se partage en
plusieurs et se ramasse en une, quand il le faut, et comme il
lui plaît. Il est inconstant, et outre les changements qui viennent
des causes étrangères, il y en a une infinité qui naissent de lui
et de son propre fonds; il est inconstant d'inconstance, de légèreté, d'amour, de nouveauté, de lassitude et de dégoût; il est
capricieux, et on le voit quelquefois travailler avec le dernier
empressement, et avec des travaux incroyables, à obtenir des
choses qui ne lui sont point avantageuses, et qui même lui sont
nuisibles, mais qu'il poursuit parce qu'il les veut. Il est bizarre[183],
et met souvent toute son application dans les emplois les plus
frivoles; il trouve tout son plaisir dans les plus fades, et conserve
toute sa fierté dans les plus méprisables. Il est dans tous les
états de la vie et dans toutes les conditions; il vit partout et
il vit de tout, il vit de rien; il s'accommode des choses et de
leur privation; il passe même dans le parti des gens qui lui
font la guerre, il entre dans leurs desseins, et ce qui est admi-
rable, il se hait lui-même avec eux, il conjure sa perte, il travaille même à sa ruine; enfin il ne se soucie que d'être, et
pourvu qu'il soit, il veut bien être son ennemi. Il ne faut donc
pas s'étonner s'il se joint quelquefois à la plus rude austérité,
et s'il entre si hardiment en société[184] avec elle pour se détruire,
parce que, dans le même temps qu'il se ruine en un endroit,
il se rétablit en un autre; quand on pense qu'il quitte son
plaisir, il ne fait que le suspendre ou le changer, et lors même
qu'il est vaincu et qu'on croit en être défait, on le retrouve
qui triomphe dans sa propre défaite. Voilà la peinture de

---

183. *Bizarre :* fantasque, extravagant; **184.** *Entrer en société :* s'associer.

l'amour-propre, dont toute la vie n'est qu'une grande et longue agitation; la mer en est une image sensible, et l'amour-propre trouve dans le flux et le reflux de ses vagues continuelles une fidèle expression de la succession turbulente de ses pensées et de ses éternels mouvements. (1665.)

564. Toutes les passions ne sont autre chose que les divers degrés de la chaleur et de la froideur du sang. (1665.)

565. La modération dans la bonne fortune n'est que l'appréhension de la honte qui suit l'emportement, ou la peur de perdre ce que l'on a. (1665.)

566*. La modération est comme la sobriété : on voudrait bien manger davantage, mais on craint de se faire mal. (1665.)

567. Tout le monde trouve à redire en autrui ce qu'on trouve à redire en lui[185]. (1665.)

568. L'orgueil, comme lassé de ses artifices et de ses différentes métamorphoses, après avoir joué tout seul tous les personnages de la comédie humaine, se montre avec un visage naturel, et se découvre par la fierté : de sorte qu'à proprement parler, la fierté est l'éclat et la déclaration de l'orgueil. (1665.)

569*. La complexion[186] qui fait le talent pour les petites choses est contraire à celle qu'il faut pour le talent des grandes. (1665.)

570. C'est une espèce de bonheur de connaître jusqu'à quel point on doit être malheureux. (1665.)

571. Quand on ne trouve pas son repos en soi-même, il est inutile de le chercher ailleurs. (1666.)

572. On n'est jamais si malheureux qu'on croit, ni si heureux qu'on avait espéré. (1665.)

573. On se console souvent d'être malheureux par un certain plaisir qu'on trouve à le paraître. (1665.)

---

185. *Lui* renvoie à « tout le monde » sous forme fractionnée : chacun de ceux qui composent cette totalité; 186. *Complexion :* tempérament, humeur.

574. Il faudrait pouvoir répondre de sa fortune[187], pour pouvoir répondre ce que l'on fera. (1665.)

575*. Comment peut-on répondre de ce qu'on voudra à l'avenir, puisque l'on ne sait pas précisément ce que l'on veut dans le temps présent ? (1665.)

576. L'amour est à l'âme de celui qui aime ce que l'âme est au corps qu'elle anime. (1665.)

577. Comme on n'est jamais en liberté d'aimer ou de cesser d'aimer, l'amant ne peut se plaindre avec justice de l'inconstance de sa maîtresse[188], ni elle de la légèreté de son amant. (1666-75 ; 1665.)

578. La justice n'est qu'une vive appréhension qu'on ne nous ôte ce qui nous appartient ; de là vient cette considération et ce respect pour tous les intérêts du prochain, et cette scrupuleuse application à ne lui faire aucun préjudice. Cette crainte retient l'homme dans les bornes des biens que la naissance ou la fortune lui ont donnés ; et sans cette crainte, il ferait des courses[189] continuelles sur les autres. (1665.)

579. La justice dans les juges qui sont modérés n'est que l'amour de leur élévation. (1665.)

580. On blâme l'injustice, non pas par l'aversion que l'on a pour elle, mais pour le préjudice que l'on en reçoit. (1665.)

581. Quand nous sommes las d'aimer, nous sommes bien aises qu'on nous devienne infidèle, pour nous dégager de notre fidélité. (1671-78.)

582. Le premier mouvement de joie que nous avons du bonheur de nos amis ne vient ni de la bonté de notre naturel, ni de l'amitié que nous avons pour eux : c'est un effet de l'amour-propre qui nous flatte de l'espérance d'être heureux à notre tour, ou de retirer quelque utilité de leur bonne fortune[190]. (1665.)

---

187. *Fortune :* voir la maxime 1 et la note 9 ; **188.** *Maîtresse :* voir la maxime 111 et la note 57 ; **189.** *Course :* expédition ayant pour but le pillage ; **190.** *Bonne fortune :* voir la maxime 17 et la note 16.

583*. Dans l'adversité de nos meilleurs amis, nous trouvons toujours quelque chose qui ne nous déplaît pas. (1665.)

584. Comment prétendons-nous qu'un autre garde notre secret, si nous ne pouvons le garder nous-mêmes? (1666-75.)

585. L'aveuglement des hommes est le plus dangereux effet de leur orgueil : il sert à le nourrir et à l'augmenter, et nous ôte la connaissance des remèdes qui pourraient soulager nos misères et nous guérir de nos défauts. (1665.)

586. On n'a plus de raison, quand on n'espère plus d'en trouver aux autres. (1665.)

587*. Il n'y en a point qui pressent tant les autres que les paresseux lorsqu'ils ont satisfait à leur paresse, afin de paraître diligents. (1666-75.)

588. On a autant sujet de se plaindre de ceux qui nous apprennent à nous connaître nous-mêmes, qu'en eut ce fou d'Athènes de se plaindre du médecin qui l'avait guéri de l'opinion d'être riche. (1665.)

589. Les philosophes, et Sénèque[191] sur tous[192], n'ont point ôté les crimes[193] par leurs préceptes : ils n'ont fait que les employer au bâtiment de l'orgueil. (1665.)

590*. C'est une preuve de peu d'amitié de ne s'apercevoir pas du refroidissement de celle de nos amis. (1666-75.)

591. Les plus sages le sont dans les choses indifférentes, mais ils ne le sont presque jamais dans leurs plus sérieuses affaires. (1665.)

592*. La plus subtile folie se fait de la plus subtile sagesse. (1665.)

593*. La sobriété est l'amour de la santé, ou l'impuissance de manger beaucoup. (1665.)

---

191. *Sénèque* : philosophe de doctrine stoïcienne. Pour lui, la sagesse consistait à cultiver sa volonté pour placer son bonheur dans la vertu; 192. *Sur tous* : plus que tous les autres; 193. *Crime* : voir la maxime 183 et la note 87.

594*. Chaque talent dans les hommes, de même que chaque arbre, a ses propriétés et ses effets qui lui sont tout particuliers. (1665.)

595. On n'oublie jamais mieux les choses que quand on s'est lassé d'en parler. (1665.)

596*. La modestie, qui semble refuser les louanges, n'est en effet qu'un désir d'en avoir de plus délicates. (1665.)

597*. On ne blâme le vice et on ne loue la vertu que par intérêt. (1665.)

598*. La louange qu'on nous donne sert au moins à nous fixer dans la pratique des vertus. (1665.)

599. L'approbation que l'on donne à l'esprit, à la beauté et à la valeur, les augmente, les perfectionne, et leur fait faire de plus grands effets qu'ils n'auraient été capables de faire d'eux-mêmes. (1665.)

600*. L'amour-propre empêche bien que celui qui nous flatte ne soit jamais celui qui nous flatte le plus. (1665.)

601. On ne fait point de distinction dans les espèces de colères, bien qu'il y en ait une légère et quasi innocente, qui vient de l'ardeur de la complexion[194], et une autre très criminelle, qui est, à proprement parler, la fureur[195] de l'orgueil. (1665.)

602. Les grandes âmes ne sont pas celles qui ont moins de passions et plus de vertu que les âmes communes, mais celles seulement qui ont de plus grands desseins. (1665.)

603. Les rois font des hommes comme des pièces de monnaie : ils les font valoir ce qu'ils veulent, et l'on est forcé de les recevoir[196] selon leurs cours, et non pas selon leur véritable prix. (1666-75 ; 1665.)

604. La férocité naturelle fait moins de cruels que l'amour-propre. (1665.)

---

194. *Complexion* : voir la maxime 569 et la note 186 ; 195. *Fureur* : voir la maxime 32 et la note 26 ; 196. *Recevoir* : accepter.

605. On peut dire de toutes nos vertus ce qu'un poète italien a dit de l'honnêteté des femmes, que ce n'est souvent autre chose qu'un art de paraître honnête. (1665.)

606. Ce que le monde nomme vertu n'est d'ordinaire qu'un fantôme formé par nos passions, à qui on donne un nom honnête, pour faire impunément ce qu'on veut. (1665.)

607. Nous sommes si préoccupés[197] en notre faveur, que souvent ce que nous prenons pour des vertus n'est que des vices qui leur ressemblent, et que l'amour-propre nous déguise. (1666-75.)

608. Il y a des crimes[198] qui deviennent innocents, et même glorieux, par leur éclat, leur nombre et leur excès; de là vient que les voleries publiques sont des habiletés, et que prendre des provinces injustement s'appelle faire des conquêtes. (1666-75; 1665.)

609*. Nous n'avouons jamais nos défauts que par vanité. (1665.)

610*. On ne trouve point dans l'homme le bien ni le mal dans l'excès. (1665.)

611. Ceux qui sont incapables de commettre de grands crimes n'en soupçonnent pas facilement les autres. (1665.)

612*. La pompe des enterrements regarde plus la vanité des vivants que l'honneur des morts. (1665.)

613*. Quelque incertitude et quelque variété qui paraisse dans le monde, on y remarque néanmoins un certain enchaînement secret et un ordre réglé de tout temps par la Providence, qui fait que chaque chose marche en son rang et suit le cours de sa destinée. (1665.)

614. L'intrépidité doit soutenir le cœur[199] dans les conjurations,

---

197. *Préoccupé :* prévenu en faveur de quelqu'un ou contre lui; **198.** *Crime :* voir la maxime 183 et la note 87; **199.** *Cœur :* courage.

au lieu que la seule valeur lui fournit toute la fermeté qui lui est nécessaire dans les périls de la guerre. (1665.)

615*. Ceux qui voudraient définir la victoire par sa naissance seraient tentés, comme les poètes, de l'appeler la fille du ciel, puisqu'on ne trouve point son origine sur la terre. En effet, elle est produite par une infinité d'actions qui, au lieu de l'avoir pour but, regardent seulement les intérêts particuliers de ceux qui les font, puisque tous ceux qui composent une armée, allant à leur propre gloire et à leur élévation, procurent un bien si grand et si général. (1665.)

616*. On ne peut répondre de son courage quand on n'a jamais été dans le péril. (1665.)

617. On donne plus aisément des bornes à sa reconnaissance qu'à ses espérances et à ses désirs. (1666-75.)

618. L'imitation est toujours malheureuse, et tout ce qui est contrefait déplaît, avec les mêmes choses qui charment lorsqu'elles sont naturelles. (1665.)

619. Nous ne regrettons pas toujours la perte de nos amis par la considération de leur mérite, mais par celle de nos besoins et de la bonne opinion qu'ils avaient de nous. (1666-75.)

620. Il est bien malaisé de distinguer la bonté générale, et répandue sur tout le monde, de la grande habileté. (1665.)

621*. Pour pouvoir être toujours bon, il faut que les autres croient qu'ils ne peuvent jamais nous être impunément méchants. (1665.)

622. La confiance de plaire est souvent un moyen de déplaire infailliblement. (1665.)

623*. Nous ne croyons pas aisément ce qui est au-delà de ce que nous voyons. (1665.)

624*. La confiance que l'on a en soi fait naître la plus grande partie de celle que l'on a aux autres. (1665.)

625*. Il y a une révolution générale qui change le goût des esprits, aussi bien que les fortunes[200] du monde. (1665, 2ᵉ tirage.)

626. La vérité est le fondement et la raison de la perfection et de la beauté. Une chose, de quelque nature qu'elle soit, ne saurait être belle et parfaite, si elle n'est véritablement tout ce qu'elle doit être, et si elle n'a tout ce qu'elle doit avoir. (1665.)

627*. Il y a de belles choses qui ont plus d'éclat quand elles demeurent imparfaites que quand elles sont trop achevées. (1665.)

628*. La magnanimité est un noble effort de l'orgueil, par lequel il rend l'homme maître de lui-même, pour le rendre maître de toutes choses. (1665.)

629. Le luxe et la trop grande politesse[201] dans les États sont le présage assuré de leur décadence, parce que tous les particuliers s'attachant à leurs intérêts propres, ils se détournent du bien public. (1665.)

630. De toutes les passions, celle qui est la plus inconnue à nous-mêmes, c'est la paresse; elle est la plus ardente et la plus maligne de toutes, quoique sa violence soit insensible, et que les dommages qu'elle cause soient très cachés. Si nous considérons très attentivement son pouvoir, nous verrons qu'elle se rend en toutes rencontres maîtresse de nos sentiments, de nos intérêts et de nos plaisirs; c'est la rémore[202] qui a la force d'arrêter les plus grands vaisseaux; c'est une bonace[203] plus dangereuse aux plus importantes affaires que les écueils et que les plus grandes tempêtes. Le repos de la paresse est un charme[204] secret de l'âme qui suspend soudainement les plus ardentes poursuites et les plus opiniâtres résolutions; pour donner enfin la véritable idée de cette passion, il faut dire que la paresse est comme une béatitude de l'âme, qui la console de toutes ses pertes, et qui lui tient lieu de tous les biens. (1665.)

---

200. *Fortune* : voir la maxime 1 et la note 9; **201.** *Politesse* : civilisation; **202.** *Rémore* : petit poisson; **203.** *Bonace* : calme plat; **204.** *Charme* : pouvoir magique qui se substitue à la volonté de celui sur qui il s'exerce.

631. De plusieurs actions différentes que la fortune[205] arrange comme il lui plaît, il s'en fait plusieurs vertus. (1665.)

632. On aime à deviner les autres, mais l'on n'aime pas à être deviné. (1666-75.)

633*. C'est une ennuyeuse maladie que de conserver sa santé par un trop grand régime. (1666-75; 1665.)

634. Il est plus facile de prendre de l'amour quand on n'en a pas, que de s'en défaire quand on en a. (1665, 2e tirage.)

635. La plupart des femmes se rendent plutôt par faiblesse que par passion; de là vient que, pour l'ordinaire, les hommes entreprenants réussissent mieux que les autres, quoiqu'ils ne soient pas plus aimables[206]. (1665, 2e tirage.)

636*. N'aimer guère en amour est un moyen assuré pour être aimé. (1665.)

637. La sincérité que se demandent les amants et les maîtresses[207], pour savoir l'un et l'autre quand ils cesseront de s'aimer, est bien moins pour vouloir être avertis quand on ne les aimera plus, que pour être mieux assurés qu'on les aime lorsque l'on ne dit point le contraire. (1665.)

638*. La plus juste comparaison qu'on puisse faire de l'amour, c'est celle de la fièvre : nous n'avons non plus de pouvoir sur l'un que sur l'autre, soit pour sa violence, ou pour sa durée. (1665.)

639*. La plus grande habileté des moins habiles est de se savoir soumettre à la bonne conduite d'autrui. (1665.)

640*. On craint toujours de voir ce[208] qu'on aime quand on vient de faire des coquetteries ailleurs. (1675.)

641*. On doit se consoler de ses fautes quand on a la force de les avouer. (1675.)

---

205. *Fortune* : voir la maxime 1 et la note 9; 206. *Aimable* : voir la maxime 48 et la note 32; 207. *Maîtresse* : voir la maxime 111 et la note 57; 208. Le neutre *ce que* représente une personne, conformément à l'usage de la langue galante.

La Prudence.

Burin de Decaris pour une édition des *Maximes* du Club du livre,
Paris, 1959.

L. 241*. Il est difficile de comprendre combien est grande la ressemblance et la différence qu'il y a entre tous les hommes.

H. 108*. La familiarité est un relâchement presque de toutes les règles de la vie civile, que le libertinage[209] a introduit dans la société pour nous faire parvenir à celle qu'on appelle commode.

H. 109*. C'est un effet de l'amour-propre, qui voulant tout accommoder à notre faiblesse, nous soustrait à l'honnête sujétion, que nous imposent les bonnes mœurs; et pour chercher trop les moyens de nous les rendre commodes, le[s] fait dégénérer en vices.

H. 110*. Les femmes ayant naturellement plus de mollesse que les hommes, tombent plutôt dans ce relâchement, et y perdent davantage : l'autorité du sexe ne se maintient pas : le respect, qu'on lui doit, diminue : et l'on peut dire que l'honnête y perd la plus grande partie de ses droits. Peu de gens sont cruels de cruauté, mais l'on peut dire que la plupart des hommes sont cruels et inhumains d'amour-propre.

H. 152*. La raillerie est une gaieté agréable de l'esprit, qui enjoue la conversation, et qui lie la société, si elle est obligeante, ou qui la trouble si elle ne l'est pas.

H. 153*. Elle est plus pour celui qui la fait, que pour celui qui la souffre[210].

H. 154*. C'est toujours un combat de bel esprit, que produit la vanité : d'où vient que ceux qui en manquent, pour la soutenir, et ceux qu'un défaut reproché fait rougir, s'en offensent également, comme d'une défaite injurieuse qu'ils ne sauraient pardonner.

H. 155*. C'est un poison, qui tout pur éteint l'amitié, et excite la haine; mais qui corrigé par l'agrément de l'esprit, et la flatterie de la louange, l'acquiert ou la conserve : et il en faut user sobrement avec ses amis et avec les faibles.

---

209. *Libertinage :* liberté de mœurs; **210.** *Souffrir :* voir la maxime 23 et la note 20.

RÉFLEXIONS DIVERSES

1. Du vrai.

Le vrai, dans quelque sujet qu'il se trouve, ne peut être effacé par aucune comparaison d'un autre vrai, et quelque différence qui puisse être entre deux sujets, ce qui est vrai dans l'un n'efface point ce qui est vrai dans l'autre : ils peuvent avoir plus ou moins d'étendue et être plus ou moins éclatants, mais ils sont toujours égaux par leur vérité, qui n'est pas plus vérité dans le plus grand que dans le plus petit. L'art de la guerre est plus étendu, plus noble et plus brillant que celui de la poésie; mais le poète et le conquérant sont comparables l'un à l'autre; comme aussi, tant qu'ils sont véritablement ce qu'ils sont, le législateur, le peintre, etc., etc.

Deux sujets de même nature peuvent être différents, et même opposés, comme le sont Scipion et Annibal, Fabius Maximus et Marcellus; cependant, parce que leurs qualités sont vraies, elles subsistent en présence l'une de l'autre, et ne s'effacent point par la comparaison. Alexandre et César donnent des royaumes; la veuve donne une pite[211] : quelque différents que soient ces présents, la libéralité est vraie et égale en chacun d'eux, et chacun donne à proportion de ce qu'il est.

Un sujet peut avoir plusieurs vérités, et un autre sujet peut n'en avoir qu'une : le sujet qui a plusieurs vérités est d'un plus grand prix, et peut briller par des endroits où l'autre ne brille pas; mais dans l'endroit où l'un et l'autre est vrai, ils brillent également. Épaminondas était grand capitaine, bon citoyen, grand philosophe; il était plus estimable que Virgile, parce qu'il avait plus de vérités que lui; mais comme grand capitaine, Épaminondas n'était pas plus excellent que Virgile comme grand poète, parce que, par cet endroit, il n'était pas plus vrai que lui. La cruauté de cet enfant qu'un consul fit mourir pour avoir crevé les yeux d'une corneille, était moins importante que celle de Philippe second, qui fit mourir son fils, et elle était peut-être mêlée avec moins d'autres vices; mais le degré de cruauté exercée sur un simple animal ne laisse pas de tenir son rang avec la cruauté des princes les plus cruels,

---

211. *Pite* : petite monnaie de cuivre valant un quart de denier.

parce que leurs différents degrés de cruauté ont une vérité égale.

Quelque disproportion qu'il y ait entre deux maisons qui ont les beautés qui leur conviennent, elles ne s'effacent point l'une par l'autre : ce qui fait que Chantilly[212] n'efface point Liancourt, bien qu'il ait infiniment plus de diverses beautés, et que Liancourt n'efface pas aussi Chantilly, c'est que Chantilly a les beautés qui conviennent à la grandeur de Monsieur le Prince, et que Liancourt a les beautés qui conviennent à un particulier, et qu'ils ont chacun de vraies beautés. On voit néanmoins des femmes d'une beauté éclatante, mais irrégulière, qui en effacent souvent de plus véritablement belles; mais comme le goût, qui se prévient aisément, est le juge de la beauté, et que la beauté des plus belles personnes n'est pas toujours égale, s'il arrive que les moins belles effacent les autres, ce sera seulement durant quelques moments; ce sera que la différence de la lumière et du jour fera plus ou moins discerner la vérité qui est dans les traits ou dans les couleurs, qu'elle fera paraître ce que la moins belle aura de beau, et empêchera de paraître ce qui est de vrai et de beau dans l'autre.

2. De la société.

Mon dessein n'est pas de parler de l'amitié en parlant de la société; bien qu'elles aient quelque rapport, elles sont néanmoins très différentes : la première a plus d'élévation et de dignité, et le plus grand mérite de l'autre, c'est de lui ressembler. Je ne parlerai donc présentement que du commerce particulier que les honnêtes gens doivent avoir ensemble.

Il serait inutile de dire combien la société est nécessaire aux hommes : tous la désirent et tous la cherchent, mais peu se servent des moyens de la rendre agréable et de la faire durer. Chacun veut trouver son plaisir et ses avantages aux dépens des autres; on se préfère toujours à ceux avec qui on se propose de vivre, et on leur fait presque toujours sentir cette préférence; c'est ce qui trouble et qui détruit la société. Il faudrait du moins savoir cacher ce désir de préférence, puisqu'il est trop naturel en nous pour nous en pouvoir défaire; il faudrait faire son plaisir de celui des autres, ménager leur amour-propre, et ne le blesser jamais.

---

212. Le château de Chantilly appartenait aux Condé.

L'esprit a beaucoup de part à un si grand ouvrage, mais il ne suffit pas seul pour nous conduire dans les divers chemins qu'il faut tenir. Le rapport qui se rencontre entre les esprits ne maintiendrait pas longtemps la société, si elle n'était réglée et soutenue par le bon sens, par l'humeur, et par les égards qui doivent être entre les personnes qui veulent vivre ensemble. S'il arrive quelquefois que des gens opposés d'humeur et d'esprit paraissent unis, ils tiennent sans doute par des liaisons étrangères, qui ne durent pas longtemps. On peut être aussi en société avec des personnes sur qui nous avons de la supériorité par la naissance ou par des qualités personnelles ; mais ceux qui ont cet avantage n'en doivent pas abuser : ils doivent rarement le faire sentir, et ne s'en servir que pour instruire les autres ; ils doivent leur faire apercevoir qu'ils ont besoin d'être conduits, et les mener par raison, en s'accommodant, autant qu'il est possible, à leurs sentiments et à leurs intérêts.

Pour rendre la société commode, il faut que chacun conserve sa liberté : il faut se voir, ou ne se voir point, sans sujétion, pour se divertir ensemble, et même s'ennuyer ensemble ; il faut se pouvoir séparer, sans que cette séparation apporte de changement ; il faut se pouvoir passer les uns des autres, si on ne veut pas s'exposer à embarrasser quelquefois, et on doit se souvenir qu'on incommode souvent, quand on croit ne pouvoir jamais incommoder. Il faut contribuer, autant qu'on le peut, au divertissement des personnes avec qui on veut vivre ; mais il ne faut pas être toujours chargé du soin d'y contribuer. La complaisance est nécessaire dans la société, mais elle doit avoir des bornes : elle devient une servitude quand elle est excessive ; il faut du moins qu'elle paraisse libre, et qu'en suivant le sentiment de nos amis, ils soient persuadés que c'est le nôtre aussi que nous suivons.

Il faut être facile à excuser nos amis, quand leurs défauts sont nés avec eux, et qu'ils sont moindres que leurs bonnes qualités ; il faut surtout éviter de leur faire voir qu'on les ait remarqués et qu'on en soit choqué, et l'on doit essayer de faire en sorte qu'ils puissent s'en apercevoir eux-mêmes, pour leur laisser le mérite de s'en corriger.

Il y a une sorte de politesse qui est nécessaire dans les commerces des honnêtes gens : elle leur fait entendre raillerie, et elle les empêche d'être choqués et de choquer les autres par de certaines façons de parler trop sèches et trop dures, qui échappent souvent sans y penser, quand on soutient son opinion avec chaleur.

Le commerce des honnêtes gens ne peut subsister sans une certaine sorte de confiance; elle doit être commune entre eux; il faut que chacun ait un air de sûreté et de discrétion qui ne donne jamais lieu de craindre qu'on puisse rien dire par imprudence.

Il faut de la variété dans l'esprit : ceux qui n'ont que d'une sorte d'esprit ne peuvent pas plaire longtemps. On peut prendre des routes diverses, n'avoir pas les mêmes vues ni les mêmes talents, pourvu qu'on aide au plaisir de la société, et qu'on y observe la même justesse que les différentes voix et les divers instruments doivent observer dans la musique.

Comme il est malaisé que plusieurs personnes puissent avoir les mêmes intérêts, il est nécessaire au moins, pour la douceur de la société, qu'ils n'en aient pas de contraires. On doit aller au-devant de ce qui peut plaire à ses amis, chercher les moyens de leur être utile, leur épargner des chagrins, leur faire voir qu'on les partage avec eux quand on ne peut les détourner, les effacer insensiblement sans prétendre de les arracher tout d'un coup, et mettre en la place des objets agréables, ou du moins qui les occupent. On peut leur parler des choses qui les regardent, mais ce n'est qu'autant qu'ils le permettent, et on y doit garder beaucoup de mesure : il y a de la politesse, et quelquefois même de l'humanité, à ne pas entrer trop avant dans les replis de leur cœur; ils ont souvent de la peine à laisser voir tout ce qu'ils en connaissent, et ils en ont encore davantage quand on pénètre ce qu'ils ne connaissent pas. Bien que le commerce que les honnêtes gens ont ensemble leur donne de la familiarité, et leur fournisse un nombre infini de sujets de se parler sincèrement, personne presque n'a assez de docilité et de bon sens pour bien pouvoir recevoir plusieurs avis qui sont nécessaires pour maintenir la société : on veut être averti jusqu'à un certain point, mais on ne veut pas l'être en toutes choses, et on craint de savoir toutes sortes de vérités.

Comme on doit garder des distances pour voir les objets, il en faut garder aussi pour la société : chacun a son point de vue, d'où il veut être regardé; on a raison, le plus souvent, de ne vouloir pas être éclairé de trop près, et il n'y a presque point d'homme qui veuille, en toutes choses, se laisser voir tel qu'il est.

3. De l'air et des manières.

Il y a un air qui convient à la figure et aux talents de chaque personne : on perd toujours quand on le quitte pour en prendre un autre. Il faut essayer de connaître celui qui nous est naturel, n'en point sortir, et le perfectionner autant qu'il nous est possible.

Ce qui fait que la plupart des petits enfants plaisent, c'est qu'ils sont encore renfermés dans cet air et dans ces manières que la nature leur a donnés, et qu'ils n'en connaissent point d'autres. Ils les changent et les corrompent quand ils sortent de l'enfance : ils croient qu'il faut imiter ce qu'ils voient faire aux autres, et ils ne le peuvent parfaitement imiter; il y a toujours quelque chose de faux et d'incertain dans toute imitation. Ils n'ont rien de fixe dans leurs manières ni dans leurs sentiments; au lieu d'être en effet ce qu'ils veulent paraître, ils cherchent à paraître ce qu'ils ne sont pas. Chacun veut être un autre, et n'être plus ce qu'il est : ils cherchent une contenance hors d'eux-mêmes, et un autre esprit que le leur; ils prennent des tons et des manières au hasard; ils en font l'expérience sur eux, sans considérer que ce qui convient à quelques-uns ne convient pas à tout le monde, qu'il n'y a point de règle générale pour les tons et pour les manières, et qu'il n'y a point de bonnes copies. Deux hommes néanmoins peuvent avoir du rapport en plusieurs choses sans être copie l'un de l'autre, si chacun suit son naturel; mais personne presque ne le suit entièrement : on aime à imiter; on imite souvent, même sans s'en apercevoir, et on néglige ses propres biens pour des biens étrangers, qui d'ordinaire ne nous conviennent pas.

Je ne prétends pas, par ce que je dis, nous renfermer tellement en nous-mêmes, que nous n'ayons pas la liberté de suivre des exemples, et de joindre à nous des qualités utiles ou nécessaires que la nature ne nous a pas données : les arts et les sciences conviennent à la plupart de ceux qui s'en rendent capables; la bonne grâce et la politesse conviennent à tout le monde; mais ces qualités acquises doivent avoir un certain rapport et une certaine union avec nos qualités naturelles, qui les étendent et les augmentent imperceptiblement.

Nous sommes quelquefois élevés à un rang et à des dignités qui sont au-dessus de nous; nous sommes souvent engagés dans une profession nouvelle où la nature ne nous avait pas destinés : tous ces états ont chacun un air qui leur convient, mais qui ne convient pas toujours avec notre air naturel; ce changement de notre fortune change souvent notre air et nos manières, et y ajoute l'air de la dignité, qui est toujours faux quand il est trop marqué et qu'il n'est pas joint et confondu avec l'air que la nature nous a donné : il faut les unir et les mêler ensemble et qu'ils ne paraissent jamais séparés.

On ne parle pas de toutes choses sur un même ton et avec les mêmes manières; on ne marche pas à la tête d'un régiment comme on marche en se promenant; mais il faut qu'un même air nous fasse dire naturellement des choses différentes, et qu'il nous fasse marcher différemment, mais toujours naturellement, et comme il convient de marcher à la tête d'un régiment et à une promenade.

Il y en a qui ne se contentent pas de renoncer à leur air propre et naturel, pour suivre celui du rang et des dignités où ils sont parvenus; il y en a même qui prennent par avance l'air des dignités et du rang où ils aspirent. Combien de lieutenants généraux apprennent à paraître maréchaux de France! Combien de gens de robe répètent inutilement l'air de chancelier, et combien de bourgeoises se donnent l'air de duchesses!

Ce qui fait qu'on déplaît souvent, c'est que personne ne sait accorder son air et ses manières avec sa figure, ni ses tons et ses paroles avec ses pensées et ses sentiments; on trouble leur harmonie par quelque chose de faux et d'étranger; on s'oublie soi-même, et on s'en éloigne insensiblement; tout le monde presque tombe, par quelque endroit, dans ce défaut; personne n'a l'oreille assez juste pour entendre parfaitement cette sorte de cadence. Mille gens déplaisent avec des qualités aimables; mille gens plaisent avec de moindres talents : c'est que les uns veulent paraître ce qu'ils ne sont pas; les autres sont ce qu'ils paraissent; et enfin, quelques avantages ou quelques désavantages que nous ayons reçus de la nature, on plaît à proportion de ce qu'on suit l'air, les tons, les manières et les sentiments qui conviennent à notre état et à notre figure, et on déplaît à proportion de ce qu'on s'en éloigne.

4. De la conversation.

Ce qui fait que si peu de personnes sont agréables dans la conversation, c'est que chacun songe plus à ce qu'il veut dire qu'à ce que les autres disent. Il faut écouter ceux qui parlent, si on en veut être écouté; il faut leur laisser la liberté de se faire entendre, et même de dire des choses inutiles. Au lieu de les contredire ou de les interrompre, comme on fait souvent, on doit, au contraire, entrer dans leur esprit et dans leur goût, montrer qu'on les entend, leur parler de ce qui les touche, louer ce qu'ils disent autant qu'il mérite d'être loué, et faire voir que c'est plutôt par choix qu'on les loue que par complaisance. Il faut éviter de contester sur des choses indifférentes, faire rarement des questions, qui sont presque toujours inutiles, ne laisser jamais croire qu'on prétend avoir plus de raison que les autres, et céder aisément l'avantage de décider.

On doit dire des choses naturelles, faciles et plus ou moins sérieuses, selon l'humeur et l'inclination des personnes que l'on entretient, ne les presser pas d'approuver ce qu'on dit, ni même d'y répondre. Quand on a satisfait de cette sorte aux devoirs de la politesse, on peut dire ses sentiments, sans prévention et sans opiniâtreté, en faisant paraître qu'on cherche à les appuyer de l'avis de ceux qui écoutent.

Il faut éviter de parler longtemps de soi-même, et de se donner souvent pour exemple. On ne saurait trop avoir d'application à connaître la pente et la portée de ceux à qui on parle, pour se joindre à l'esprit de celui qui en a le plus, et pour ajouter ses pensées aux siennes, en lui faisant croire, autant qu'il est possible, que c'est de lui qu'on les prend. Il y a de l'habileté à n'épuiser pas les sujets qu'on traite, et à laisser toujours aux autres quelque chose à penser et à dire.

On ne doit jamais parler avec des airs d'autorité, ni se servir de paroles et de termes plus grands que les choses. On peut conserver ses opinions, si elles sont raisonnables; mais en les conservant, il ne faut jamais blesser les sentiments des autres, ni paraître choqué de ce qu'ils ont dit. Il est dangereux de vouloir être toujours le maître de la conversation, et de parler trop souvent d'une même chose; on doit entrer indifféremment sur tous les sujets agréables qui se présentent, et ne faire jamais voir qu'on veut entraîner la conversation sur ce qu'on a envie de dire.

Il est nécessaire d'observer que toute sorte de conversation, quelque honnête et quelque spirituelle qu'elle soit, n'est pas également propre à toute sorte d'honnêtes gens : il faut choisir ce qui convient à chacun, et choisir même le temps de le dire; mais s'il y a beaucoup d'art à savoir parler à propos, il n'y en a pas moins à savoir se taire. Il y a un silence éloquent :

il sert quelquefois à approuver et à condamner; il y a un silence moqueur; il y a un silence respectueux; il y a enfin des airs, des tons et des manières qui font souvent ce qu'il y a d'agréable ou de désagréable, de délicat ou de choquant dans la conversation; le secret de s'en bien servir est donné à peu de personnes; ceux même qui en font des règles s'y méprennent quelquefois; la plus sûre, à mon avis, c'est de n'en point avoir qu'on ne puisse changer, de laisser plutôt voir des négligences dans ce qu'on dit que de l'affectation, d'écouter, de ne parler guère, et de ne se forcer jamais à parler.

4 bis. **De la conversation.**
(Version Brotier.)

Ce qui fait que peu de personnes sont agréables dans la conversation, c'est que chacun songe plus à ce qu'il a dessein de dire qu'à ce que les autres disent, et que l'on n'écoute guère quand on a bien envie de parler. Néanmoins il est nécessaire d'écouter ceux qui parlent; il faut leur donner le temps de se faire entendre, et souffrir même qu'ils disent des choses inutiles. Bien loin de les contredire et de les interrompre, on doit, au contraire, entrer dans leur esprit et dans leur goût, montrer qu'on les entend, louer ce qu'ils disent autant qu'il mérite d'être loué, et faire voir que c'est plutôt par choix qu'on les loue que par complaisance. Pour plaire aux autres, il faut parler de ce qu'ils aiment, et de ce qui les touche, éviter les disputes sur des choses indifférentes, leur faire rarement des questions, et ne leur laisser jamais croire qu'on prétend avoir plus de raison qu'eux.

On doit dire les choses d'un air plus ou moins sérieux, et sur des sujets plus ou moins relevés, selon l'humeur et la capacité des personnes que l'on entretient et leur céder aisément l'avantage de décider, sans les obliger de répondre, quand ils n'ont pas envie de parler. Après avoir satisfait de cette sorte aux devoirs de la politesse, on peut dire ses sentiments, en montrant qu'on cherche à les appuyer de l'avis de ceux qui écoutent, sans marquer de présomption ni d'opiniâtreté.

Évitons surtout de parler souvent de nous-mêmes et de nous donner pour exemple : rien n'est plus désagréable qu'un homme qui se cite lui-même à tout propos. On ne peut aussi apporter trop d'application à connaître la pente et la portée de ceux à qui l'on parle, se joindre à l'esprit de celui qui en a le plus, sans blesser l'inclination ou l'intérêt des autres par cette préférence. Alors on doit faire valoir toutes les raisons qu'il a dites, ajoutant modestement nos propres pensées aux siennes, en lui faisant croire, autant qu'il est possible, que c'est de lui qu'on les prend.

Il ne faut jamais rien dire avec un air d'autorité, ni montrer aucune supériorité d'esprit; fuyons les expressions trop recherchées, les termes durs ou forcés, et ne nous servons point de paroles plus grandes que les choses. Il n'est pas défendu de conserver ses opinions, si elles sont raisonnables; mais il faut se rendre à la raison aussitôt qu'elle paraît, de quelque part qu'elle vienne : elle seule doit régner sur nos sentiments; mais suivons-la sans heurter les sentiments des autres, et sans faire paraître du mépris de ce qu'ils ont dit. Il est dangereux de vouloir être toujours le maître de la conversation, et de pousser trop loin une bonne raison quand on l'a trouvée. L'honnêteté veut que l'on cache quelquefois la moitié de son esprit, et qu'on ménage un opiniâtre qui se défend mal, pour lui épargner la honte de céder. On déplaît sûrement quand on parle trop longtemps et trop souvent d'une même chose, et que l'on cherche à détourner la conversation sur des sujets dont on se croit plus instruit que les autres : il faut entrer indifféremment sur tout ce qui leur est agréable, s'y arrêter autant qu'ils le veulent, et s'éloigner de tout ce qui ne leur convient pas.

Toute sorte de conversation, quelque spirituelle qu'elle soit, n'est pas également propre à toutes sortes de gens d'esprit : il faut choisir ce qui est de leur goût, et ce qui est convenable à leur condition, à leur sexe, à leurs talents, et choisir même le temps de le dire. Observons le lieu, l'occasion, l'humeur où se trouvent les personnes qui nous écoutent, car s'il y a beaucoup d'art à savoir parler à propos, il n'y en a pas moins à savoir se taire. Il y a un silence éloquent qui sert à approuver et à condamner; il y a un silence de discrétion et de respect; il y a enfin des tons, des airs et des manières qui font tout ce qu'il y a d'agréable ou de désagréable, de délicat ou de choquant dans la conversation; mais le secret de s'en bien servir est donné à peu de personnes; ceux même qui en font des règles s'y méprennent souvent, et la plus sûre qu'on en puisse donner, c'est écouter beaucoup, parler peu, et ne rien dire dont on puisse avoir sujet de se repentir.

5. De la confiance.

Bien que la sincérité et la confiance aient du rapport, elles sont néanmoins différentes en plusieurs choses : la sincérité est une ouverture du cœur, qui nous montre tels que nous sommes; c'est un amour de la vérité, une répugnance à se déguiser, un désir de se dédommager de ses défauts, et de les diminuer même par le mérite de les avouer. La confiance ne nous laisse pas tant de liberté; ses règles sont plus étroites; elle demande plus de prudence et de retenue, et nous ne sommes pas toujours libres d'en disposer; il ne s'agit pas de nous uniquement, et nos intérêts sont mêlés d'ordinaire avec les intérêts des autres. Elle a besoin d'une grande justesse pour ne livrer pas nos amis en nous livrant nous-mêmes, et pour ne faire pas des présents de leur bien, dans la vue d'augmenter le prix de ce que nous donnons.

La confiance plaît toujours à celui qui la reçoit : c'est un tribut que nous payons à son mérite; c'est un dépôt que l'on commet à sa foi; ce sont des gages qui lui donnent un droit sur nous, et une sorte de dépendance où nous nous assujettissons volontairement. Je ne prétends pas détruire par ce que je dis la confiance, si nécessaire entre les hommes, puisqu'elle est le lien de la société et de l'amitié : je prétends seulement y mettre des bornes, et la rendre honnête et fidèle. Je veux qu'elle soit toujours vraie et toujours prudente, et qu'elle n'ait ni faiblesse, ni intérêt; mais je sais bien qu'il est malaisé de donner de justes limites à la manière de recevoir toute sorte de confiance de nos amis, et de leur faire part de la nôtre.

On se confie le plus souvent par vanité, par envie de parler, par le désir de s'attirer la confiance des autres, et pour faire un échange de secrets. Il y a des personnes qui peuvent avoir raison de se fier en nous, vers qui nous n'aurions pas raison d'avoir la même conduite, et on s'acquitte envers ceux-ci en leur gardant le secret, et en les payant de légères confidences. Il y en a d'autres dont la fidélité nous est connue, qui ne ménagent rien avec nous, et à qui on peut se confier par choix et par estime. On doit ne leur cacher rien de ce qui ne regarde que nous, se montrer à eux toujours vrais, dans nos bonnes qualités et dans nos défauts même, sans exagérer les unes, et sans diminuer les autres; se faire une loi de ne leur faire jamais de demi-confidences, qui embarrassent toujours ceux qui les font, et ne contentent presque jamais ceux qui les reçoivent : on leur donne des lumières confuses de ce qu'on veut cacher, et on augmente leur curiosité; on les met en droit d'en vouloir savoir davantage, et ils se croient en liberté de disposer de ce qu'ils ont pénétré. Il est plus sûr et plus honnête de ne leur rien dire, que de se taire quand on a commencé à parler.

Il y a d'autres règles à suivre pour les choses qui nous ont été confiées : plus elles sont importantes, et plus la prudence et la fidélité sont nécessaires. Tout le monde convient que le secret doit être inviolable; mais on ne convient pas toujours de la nature et de l'importance du secret : nous ne consultons le plus souvent que nous-mêmes sur ce que nous devons dire et sur ce que nous devons taire; il y a peu de secrets de tous les temps et le scrupule de les révéler ne dure pas toujours.

On a des liaisons étroites avec des amis dont on connaît la fidélité; ils nous ont toujours parlé sans réserve, et nous avons toujours gardé les mêmes mesures avec eux; ils savent nos habitudes et nos commerces, et ils nous voient de trop près pour ne s'apercevoir pas du moindre changement; ils peuvent savoir par ailleurs ce que nous sommes engagés de ne dire jamais à personne; il n'a pas été en notre pouvoir de les faire entrer dans ce qu'on nous a confié, et qu'ils ont peut-être quelque intérêt de savoir; on est assuré d'eux comme de soi, et on se voit cependant réduit à la cruelle nécessité de perdre leur amitié, qui nous est précieuse, ou de manquer à la foi du secret. Cet état est sans doute la plus rude épreuve de la fidélité; mais il ne doit pas ébranler un honnête homme : c'est alors qu'il lui est permis de se préférer aux autres; son premier devoir est indispensablement de conserver le dépôt en son entier, sans en peser les suites : il doit non seulement ménager ses paroles et ses tons, il doit encore ménager ses conjectures, et ne laisser jamais rien voir, dans ses discours ni dans son air, qui puisse tourner l'esprit des autres vers ce qu'il ne veut pas dire.

On a souvent besoin de force et de prudence pour opposer à la tyrannie de la plupart de nos amis, qui se font un droit sur notre confiance, et qui veulent tout savoir de nous. On ne doit jamais leur laisser établir ce droit sans exception : il y a des rencontres et des circonstances qui ne sont pas de leur juridiction; s'ils s'en plaignent, on doit souffrir leurs plaintes, et s'en justifier avec douceur; mais s'ils demeurent injustes, on doit sacrifier leur amitié à son devoir, et choisir entre deux maux inévitables, dont l'un se peut réparer, et l'autre est sans remède.

6. De l'amour et de la mer.

Ceux qui ont voulu nous représenter l'amour et ses caprices l'ont comparé en tant de sortes à la mer, qu'il est malaisé de rien ajouter à ce qu'ils en ont dit : ils nous ont fait voir que l'un et l'autre ont une inconstance et une infidélité égales, que leurs biens et leurs maux sont sans nombre, que les navigations les plus heureuses sont exposées à mille dangers, que les tempêtes et les écueils sont toujours à craindre, et que souvent même on fait naufrage dans le port; mais en nous exprimant tant d'espérances et tant de craintes, ils ne nous ont pas assez montré, ce me semble, le rapport qu'il y a d'un amour usé, languissant et sur sa fin, à ces longues bonaces, à ces calmes ennuyeux, que l'on rencontre sous la ligne. On est fatigué d'un grand voyage, on souhaite de l'achever; on voit la terre, mais on manque de vent pour y arriver; on se voit exposé aux injures des saisons; les maladies et les langueurs empêchent d'agir; l'eau et les vivres manquent ou changent de goût; on a recours inutilement aux secours étrangers; on essaye de pêcher, et on prend quelques poissons, sans en tirer de soulagement ni de nourriture; on est las de tout ce qu'on voit, on est toujours avec ses mêmes pensées, et on est toujours ennuyé; on vit encore, et on a regret à vivre; on attend des désirs pour sortir d'un état pénible et languissant, mais on n'en forme que de faibles et d'inutiles.

7. Des exemples.

Quelque différence qu'il y ait entre les bons et les mauvais exemples, on trouvera que les uns et les autres ont presque également produit de méchants effets; je ne sais même si les crimes de Tibère et de Néron ne nous éloignent pas plus du vice, que les exemples estimables des plus grands hommes ne nous approchent de la vertu. Combien la valeur d'Alexandre a-t-elle fait de fanfarons! Combien la gloire de César a-t-elle autorisé d'entreprises contre la patrie! Combien Rome et Sparte ont-elles loué de vertus farouches! Combien Diogène a-t-il fait de philosophes importuns, Cicéron de babillards, Pomponius Atticus de gens neutres et paresseux, Marius et Sylla de vindicatifs, Lucullus de voluptueux, Alcibiade et

Antoine de débauchés, Caton d'opiniâtres! Tous ces grands originaux ont produit un nombre infini de mauvaises copies. Les vertus sont frontières des vices; les exemples sont des guides qui nous égarent souvent, et nous sommes si remplis de fausseté, que nous ne nous en servons pas moins pour nous éloigner du chemin de la vertu, que pour le suivre.

8. De l'incertitude de la jalousie.

Plus on parle de sa jalousie, et plus les endroits qui ont déplu paraissent de différents côtés; les moindres circonstances les changent, et font toujours découvrir quelque chose de nouveau. Ces nouveautés font revoir, sous d'autres apparences, ce qu'on croyait avoir assez vu et assez pesé; on cherche à s'attacher à une opinion, et on ne s'attache à rien; tout ce qui est de plus opposé et de plus effacé se présente en même temps; on veut haïr et on veut aimer, mais on aime encore quand on hait, et on hait encore quand on aime. On croit tout, et on doute de tout; on a de la honte et du dépit d'avoir cru et d'avoir douté; on se travaille incessamment pour arrêter son opinion, et on ne la conduit jamais à un lieu fixe.

Les poètes devraient comparer cette opinion à la peine de Sisyphe, puisqu'on roule aussi inutilement que lui un rocher, par un chemin pénible et périlleux; on voit le sommet de la montagne, on s'efforce d'y arriver; on l'espère quelquefois, mais on n'y arrive jamais. On n'est pas assez heureux pour oser croire ce que l'on souhaite, ni même assez heureux aussi pour être assuré de ce qu'on craint le plus; on est assujetti à une incertitude éternelle, qui nous présente successivement des biens et des maux qui nous échappent toujours.

9. De l'amour et de la vie.

L'amour est une image de notre vie : l'un et l'autre sont sujets aux mêmes révolutions et aux mêmes changements. Leur jeunesse est pleine de joie et d'espérance : on se trouve heureux d'être jeune, comme on se trouve heureux d'aimer. Cet état si agréable nous conduit à désirer d'autres biens, et on en veut de plus solides; on ne se contente pas de subsister, on veut faire des progrès, on est occupé des moyens de s'avancer et d'assurer sa fortune; on cherche la protection des ministres, on se rend utile à leurs intérêts; on ne peut souffrir que quelqu'un prétende ce que nous prétendons. Cette émulation est traversée de mille soins et de mille peines, qui s'effacent par le plaisir de se voir établi : toutes les passions sont alors satisfaites, et on ne prévoit pas qu'on puisse cesser d'être heureux.

Cette félicité néanmoins est rarement de longue durée, et elle ne peut conserver longtemps la grâce de la nouveauté; pour avoir ce que nous avons souhaité, nous ne laissons pas de souhaiter encore. Nous nous accoutumons à tout ce qui est à nous; les mêmes biens ne conservent pas leur même prix, et ils ne touchent pas toujours également notre goût; nous changeons imperceptiblement, sans remarquer notre changement; ce que nous avons obtenu devient une partie de nous-mêmes; nous serions cruellement touchés de le perdre, mais nous ne sommes plus sensibles au plaisir de le conserver; la joie n'est plus vive; on en cherche ailleurs que dans ce qu'on a tant désiré. Cette inconstance involontaire est un effet du temps, qui prend, malgré nous, sur l'amour, comme sur notre vie; il en efface insensiblement chaque jour un certain air de jeunesse et de gaieté, et en détruit les plus véritables charmes; on prend des manières plus sérieuses, on joint des affaires à la passion; l'amour ne subsiste plus par lui-même, et il emprunte des secours étrangers. Cet état de l'amour représente le penchant de l'âge, où on commence à voir par où on doit finir; mais on n'a pas la force de finir volontairement, et dans le déclin de l'amour, comme dans le déclin de la vie, personne ne peut se résoudre de prévenir les dégoûts qui restent à éprouver; on vit encore pour les maux, mais on ne vit plus pour les plaisirs. La jalousie, la méfiance, la crainte de lasser, la crainte d'être quitté, sont des peines attachées à la vieillesse de l'amour, comme les maladies sont attachées à la trop longue durée de la vie : on ne sent plus qu'on est vivant que parce qu'on sent qu'on est malade, et on ne sent aussi qu'on est amoureux que par sentir toutes les peines de l'amour. On ne sort de l'assoupissement des trop longs attachements que par le dépit et le chagrin de se voir toujours attaché; enfin de toutes les décrépitudes, celle de l'amour est la plus insupportable.

10. Du goût.

Il y a des personnes qui ont plus d'esprit que de goût, et d'autres qui ont plus de goût que d'esprit; mais il y a plus de variété et de caprice dans le goût que dans l'esprit.

Ce terme de *goût* a diverses significations, et il est aisé de s'y méprendre : il y a une différence entre le goût qui nous porte vers les choses, et le goût qui nous en fait connaître et discerner les qualités, en s'attachant aux règles. On peut aimer la comédie sans avoir le goût assez fin et assez délicat pour en bien juger, et on peut avoir le goût assez bon pour bien juger de la comédie sans l'aimer. Il y a des goûts qui nous approchent imperceptiblement de ce qui se montre à nous; d'autres nous entraînent par leur force ou par leur durée.

Il y a des gens qui ont le goût faux en tout; d'autres ne l'ont faux qu'en de certaines choses, et ils l'ont droit et juste dans ce qui est de leur portée. D'autres ont des goûts particuliers, qu'ils connaissent mauvais, et ne laissent pas de les suivre. Il y en a qui ont le goût incertain; le hasard en décide : ils changent par légèreté, et sont touchés de plaisir ou d'ennui, sur la parole de leurs amis. D'autres sont toujours prévenus; ils sont esclaves de tous leurs goûts, et les respectent en toutes choses. Il y en a qui sont sensibles à ce qui est bon, et choqués de ce qui ne l'est pas; leurs vues sont nettes et justes, et ils trouvent la raison de leur goût dans leur esprit ou dans leur discernement.

Il y en a qui, par une sorte d'instinct, dont ils ignorent la cause, décident de ce qui se présente à eux, et prennent toujours le bon parti. Ceux-ci font paraître plus de goût que d'esprit, parce que leur amour-propre et leur humeur ne prévalent point sur leurs lumières naturelles; tout agit de concert en eux, tout y est sur un même ton. Cet accord les fait juger sainement des objets, et leur en forme une idée véritable; mais, à parler généralement, il y a peu de gens qui aient le goût fixe et indépendant de celui des autres : ils suivent l'exemple et la coutume, et ils en empruntent presque tout ce qu'ils ont de goût.

Dans toutes ces différences de goûts que l'on vient de marquer, il est très rare, et presque impossible, de rencontrer cette sorte de bon goût qui sait donner le prix à chaque chose, qui en connaît toute la valeur, et qui se porte généralement sur tout : nos connaissances sont trop bornées, et cette juste disposition des qualités qui font bien juger ne se maintient d'ordinaire que sur ce qui ne nous regarde pas directement. Quand il s'agit de nous, notre goût n'a plus cette justesse si nécessaire; la préoccupation le trouble; tout ce qui a rapport à nous paraît sous une autre figure; personne ne voit des mêmes yeux ce qui le touche et ce qui ne le touche pas; notre goût est conduit alors par la pente de l'amour-propre et de l'humeur, qui nous fournissent des vues nouvelles, et nous assujettissent à un nombre infini de changements et d'incertitudes; notre goût n'est plus à nous, nous n'en disposons plus : il change sans notre consentement, et les mêmes objets nous paraissent par tant de côtés différents, que nous méconnaissons enfin ce que nous avons vu et ce que nous avons senti.

11. Du rapport des hommes avec les animaux.

Il y a autant de diverses espèces d'hommes qu'il y a de diverses espèces d'animaux, et les hommes sont, à l'égard des autres hommes, ce que les différentes espèces d'animaux sont entre elles et à l'égard les unes des autres. Combien y a-t-il d'hommes qui vivent du sang et de la vie des innocents : les uns comme des tigres, toujours farouches et toujours cruels; d'autres comme des lions, en gardant quelque apparence de générosité; d'autres comme des ours, grossiers et avides; d'autres comme des loups, ravissants et impitoyables; d'autres comme des renards, qui vivent d'industrie, et dont le métier est de tromper!

Combien y a-t-il d'hommes qui ont du rapport aux chiens! Ils détruisent leur espèce; ils chassent pour le plaisir de celui qui les nourrit; les uns suivent toujours leur maître, les autres gardent sa maison. Il y a des lévriers d'attache[213], qui vivent de leur valeur, qui se destinent à la guerre, et qui ont de la noblesse dans leur courage; il y a des dogues acharnés, qui n'ont de qualités que la fureur; il y a des chiens, plus ou moins inutiles, qui aboient souvent, et qui mordent quelquefois; il y a même des chiens de jardinier[214]. Il y a des singes et des guenons qui plaisent par leurs manières, qui ont de l'esprit, et qui font toujours du mal; il y a des paons qui n'ont que de la beauté, qui déplaisent par leur chant, et qui détruisent les lieux qu'ils habitent.

Il y a des oiseaux qui ne sont recommandables que par leur

---

213. *Lévriers d'attache :* ceux que l'on utilise dans les chasses à courre pour le gros gibier; **214.** Expression proverbiale désignant « les gens qui ne savent ni faire ni laisser faire, parce que les chiens qui gardent les jardins ne mangent ni légumes ni fruits, et n'en laissent pas prendre » (note de Gilbert).

ramage et par leurs couleurs. Combien de perroquets, qui parlent sans cesse, et qui n'entendent jamais ce qu'ils disent; combien de pies et de corneilles, qui ne s'apprivoisent que pour dérober; combien d'oiseaux de proie, qui ne vivent que de rapines; combien d'espèces d'animaux paisibles et tranquilles, qui ne servent qu'à nourrir d'autres animaux!

Il y a des chats, toujours au guet, malicieux et infidèles, et qui font patte de velours; il y a des vipères, dont la langue est venimeuse, et dont le reste est utile[215]; il y a des araignées, des mouches, des punaises et des puces, qui sont toujours incommodes et insupportables; il y a des crapauds, qui font horreur, et qui n'ont que du venin; il y a des hiboux, qui craignent la lumière. Combien d'animaux qui vivent sous terre pour se conserver! Combien de chevaux, qu'on emploie à tant d'usages, et qu'on abandonne quand ils ne servent plus; combien de bœufs, qui travaillent toute leur vie, pour enrichir celui qui leur impose le joug; de cigales, qui passent leur vie à chanter; de lièvres, qui ont peur de tout; de lapins, qui s'épouvantent et se rassurent en un moment; de pourceaux, qui vivent dans la crapule et dans l'ordure; de canards privés[216], qui trahissent leurs semblables, et les attirent dans les filets; de corbeaux et de vautours, qui ne vivent que de pourriture et de corps morts! Combien d'oiseaux passagers, qui vont si souvent d'un monde à l'autre, et qui s'exposent à tant de périls, pour chercher à vivre! Combien d'hirondelles, qui suivent toujours le beau temps; de hannetons, inconsidérés et sans dessein; de papillons, qui cherchent le feu qui les brûle! Combien d'abeilles, qui respectent leur chef et qui se maintiennent avec tant de règle et d'industrie! Combien de frelons, vagabonds et fainéants, qui cherchent à s'établir aux dépens des abeilles! Combien de fourmis, dont la prévoyance et l'économie soulagent tous leurs besoins! Combien de crocodiles, qui feignent de se plaindre pour dévorer ceux qui sont touchés de leurs plaintes! Et combien d'animaux qui sont assujettis parce qu'ils ignorent leur force!

Toutes ces qualités se trouvent dans l'homme, et il exerce, à l'égard des autres hommes, tout ce que les animaux dont on vient de parler exercent sur eux.

---

215. Les vipères entraient dans la composition de certains remèdes; **216.** *Canards privés*, appeaux.

12. De l'origine des maladies.

Si on examine la nature des maladies, on trouvera qu'elles tirent leur origine des passions et des peines de l'esprit. L'âge d'or, qui en était exempt, était exempt de maladies; l'âge d'argent, qui le suivit, conserva encore sa pureté; l'âge d'airain donna la naissance aux passions et aux peines de l'esprit : elles commencèrent à se former, et elles avaient encore la faiblesse de l'enfance et sa légèreté. Mais elles parurent avec toute leur force et toute leur malignité dans l'âge de fer, et répandirent dans le monde, par la suite de leur corruption, les diverses maladies qui ont affligé les hommes depuis tant de siècles. L'ambition a produit les fièvres aiguës et frénétiques; l'envie a produit la jaunisse et l'insomnie; c'est de la paresse que viennent les léthargies, les paralysies et les langueurs; la colère a fait les étouffements, les ébullitions de sang, et les inflammations de poitrine; la peur a fait les battements de cœur et les syncopes; la vanité a fait les folies; l'avarice, la teigne et la gale; la tristesse a fait le scorbut; la cruauté, la pierre; la calomnie et les faux rapports ont répandu la rougeole, la petite vérole, et la pourpre, et on doit à la jalousie la gangrène, la peste et la rage. Les disgrâces imprévues ont fait l'apoplexie; les procès ont fait la migraine et le transport au cerveau; les dettes ont fait les fièvres étiques; l'ennui du mariage a produit la fièvre quarte, et la lassitude des amants qui n'osent se quitter a causé les vapeurs. L'amour, lui seul, a fait plus de maux que tout le reste ensemble, et personne ne doit entreprendre de les exprimer; mais comme il fait aussi les plus grands biens de la vie, au lieu de médire de lui, on doit se taire : on doit le craindre et le respecter toujours.

13. Du faux.

On est faux en différentes manières : il y a des hommes faux qui veulent toujours paraître ce qu'ils ne sont pas; il y en a d'autres, de meilleure foi, qui sont nés faux, qui se trompent eux-mêmes, et qui ne voient jamais les choses comme elles sont. Il y en a dont l'esprit est droit, et le goût faux; d'autres ont l'esprit faux, et ont quelque droiture dans le goût; il y en a enfin qui n'ont rien de faux dans le goût, ni dans l'esprit. Ceux-ci sont très rares, puisque, à parler généralement, il n'y a presque personne qui n'ait de la fausseté dans quelque endroit de l'esprit ou du goût.

Ce qui fait cette fausseté si universelle, c'est que nos qualités sont incertaines et confuses, et que nos vues le sont aussi : on ne voit point les choses précisément comme elles sont; on les estime plus ou moins qu'elles ne valent, et on ne les fait point rapporter à nous en la manière qui leur convient, et qui convient à notre état et à nos qualités. Ce mécompte met un nombre infini de faussetés dans le goût et dans l'esprit; notre amour-propre est flatté de tout ce qui se présente à nous sous les apparences du bien; mais comme il y a plusieurs sortes de bien qui touchent notre vanité ou notre tempérament, on les suit souvent par coutume, ou par commodité; on les suit parce que les autres les suivent, sans considérer qu'un même sentiment ne doit pas être également embrassé par toute sorte de personnes, et qu'on s'y doit attacher plus ou moins fortement, selon qu'il convient plus ou moins à ceux qui le suivent.

On craint encore plus de se montrer faux par le goût que par l'esprit. Les honnêtes gens doivent approuver sans prévention ce qui mérite d'être approuvé, suivre ce qui mérite d'être suivi, et ne se piquer de rien; mais il y faut une grande proportion et une grande justesse : il faut savoir discerner ce qui est bon en général, et ce qui nous est propre, et suivre alors avec raison la pente naturelle qui nous porte vers les choses qui nous plaisent. Si les hommes ne voulaient exceller que par leurs propres talents, et en suivant leurs devoirs, il n'y aurait rien de faux dans leur goût et dans leur conduite; ils se montreraient tels qu'ils sont; ils jugeraient des choses par leurs lumières, et s'y attacheraient par leur raison; il y aurait de la proportion dans leurs vues et dans leurs sentiments; leur goût serait vrai, il viendrait d'eux et non pas des autres, et ils le suivraient par choix, et non pas par coutume ou par hasard.

Si on est faux en approuvant ce qui ne doit pas être approuvé, on ne l'est pas moins, le plus souvent, par l'envie de se faire valoir en des qualités qui sont bonnes de soi, mais qui ne nous conviennent pas : un magistrat est faux quand il se pique d'être brave, bien qu'il puisse être hardi dans de certaines rencontres; il doit paraître ferme et assuré dans une sédition qu'il a droit d'apaiser, sans craindre d'être faux, et il serait faux et ridicule de se battre en duel. Une femme peut aimer les sciences, mais toutes les sciences ne lui conviennent pas toujours, et l'entêtement de certaines sciences ne lui convient jamais, et est toujours faux.

Il faut que la raison et le bon sens mettent le prix aux choses, et déterminent notre goût à leur donner le rang qu'elles méritent et qu'il nous convient de leur donner; mais tous les hommes presque se trompent dans ce prix et dans ce rang, et il y a toujours de la fausseté dans ce mécompte.

Les plus grands rois sont ceux qui s'y méprennent le plus souvent : ils veulent surpasser les autres hommes en valeur, en savoir, en galanterie, et dans mille autres qualités où tout le monde a droit de prétendre; mais ce goût d'y surpasser les autres peut être faux en eux, quand il va trop loin. Leur émulation doit avoir un autre objet : ils doivent imiter Alexandre, qui ne voulait disputer le prix de la course que contre des rois, et se souvenir que ce n'est que des qualités particulières à la royauté qu'ils doivent disputer. Quelque vaillant que puisse être un roi, quelque savant et agréable qu'il puisse être, il trouvera un nombre infini de gens qui auront ces mêmes qualités aussi avantageusement que lui, et le désir de les surpasser paraîtra toujours faux, et souvent même il lui sera impossible d'y réussir; mais s'il s'attache à ses devoirs véritables, s'il est magnanime, s'il est grand capitaine et grand politique, s'il est juste, clément et libéral, s'il soulage ses sujets, s'il aime la gloire et le repos de son État, il ne trouvera que des rois à vaincre dans une si noble carrière; il n'y aura rien que de vrai et de grand dans un si juste dessein, et le désir d'y surpasser les autres n'aura rien de faux. Cette émulation est digne d'un roi, et c'est la véritable gloire où il doit prétendre.

14. Des modèles de la nature et de la fortune.

Il semble que la fortune, toute changeante et capricieuse qu'elle est, renonce à ses changements et à ses caprices pour agir de concert avec la nature, et que l'une et l'autre concourent de temps en temps à faire des hommes extraordinaires et singuliers, pour servir de modèles à la postérité. Le soin de la nature est de fournir les qualités; celui de la fortune est de les mettre en œuvre, et de les faire voir dans le jour et avec les proportions qui conviennent à leur dessein : on dirait alors qu'elles imitent les règles des grands peintres, pour nous donner des tableaux parfaits de ce qu'elles veulent représenter.

Elles choisissent un sujet, et s'attachent au plan qu'elles se sont proposé; elles disposent de la naissance, de l'éducation, des qualités naturelles et acquises, des temps, des conjonctures, des amis, des ennemis; elles font remarquer des vertus et des vices, des actions heureuses et malheureuses; elles joignent même de petites circonstances aux plus grandes, et les savent placer avec tant d'art, que les actions des hommes et leurs motifs nous paraissent toujours sous la figure et avec les couleurs qu'il plaît à la nature et à la fortune d'y donner.

Quel concours de qualités éclatantes n'ont-elles pas assemblé dans la personne d'Alexandre, pour le montrer au monde comme un modèle d'élévation d'âme et de grandeur de courage! Si on examine sa naissance illustre, son éducation, sa jeunesse, sa beauté, sa complexion heureuse, l'étendue et la capacité de son esprit pour la guerre et pour les sciences, ses vertus, ses défauts même, le petit nombre de ses troupes, la puissance formidable de ses ennemis, la courte durée d'une si belle vie, sa mort et ses successeurs, ne verra-t-on pas l'industrie et l'application de la fortune et de la nature à renfermer dans un même sujet ce nombre infini de diverses circonstances? Ne verra-t-on pas le soin particulier qu'elles ont pris d'arranger tant d'événements extraordinaires, et de les mettre chacun dans son jour, pour composer un modèle d'un jeune conquérant, plus grand encore par ses qualités personnelles que par l'étendue de ses conquêtes?

Si on considère de quelle sorte la nature et la fortune nous montrent César, ne verra-t-on pas qu'elles ont suivi un autre plan, qu'elles n'ont renfermé dans sa personne tant de valeur, de clémence, de libéralité, tant de qualités militaires, tant de pénétration, tant de facilité d'esprit et de mœurs, tant d'éloquence, tant de grâces du corps, tant de supériorité de génie pour la paix et pour la guerre, ne verra-t-on pas, dis-je, qu'elles ne se sont assujetties si longtemps à arranger et à mettre en œuvre tant de talents extraordinaires, et qu'elles n'ont contraint César de s'en servir contre sa patrie, que pour nous laisser un modèle du plus grand homme du monde, et du plus célèbre usurpateur? Elles le font naître particulier dans une république maîtresse de l'univers, affermie et soutenue par les plus grands hommes qu'elle eût jamais produits; la fortune même choisit parmi eux ce qu'il y avait de plus illustre, de plus puissant, et de plus redoutable, pour les rendre ses ennemis; elle le réconcilie, pour un temps, avec les plus considérables, pour les faire servir à son élévation; elle les éblouit et les aveugle ensuite, pour lui faire une guerre qui le conduit à la souveraine puissance. Combien d'obstacles ne lui a-t-elle pas fait surmonter! De combien de périls, sur terre et sur mer, ne l'a-t-elle pas garanti, sans jamais avoir été blessé! Avec quelle persévérance la fortune n'a-t-elle pas soutenu les desseins de César, et détruit ceux de Pompée! Par quelle industrie n'a-t-elle pas disposé ce peuple romain, si puissant, si fier, et si jaloux de sa liberté, à la soumettre à la puissance d'un seul homme! Ne s'est-elle pas même servie des circonstances de la mort de César, pour la rendre convenable à sa vie? Tant d'avertissements de devins, tant de prodiges, tant d'avis de sa femme et de ses amis, ne peuvent le garantir, et la fortune choisit le propre jour qu'il doit être couronné dans le Sénat, pour le faire assassiner par ceux mêmes qu'il a sauvés, et par un homme qui lui doit la naissance.

Cet accord de la nature et de la fortune n'a jamais été plus marqué que dans la personne de Caton, et il semble qu'elles se soient efforcées l'une et l'autre de renfermer dans un seul homme, non seulement les vertus de l'ancienne Rome, mais encore de l'opposer directement aux vertus de César, pour montrer qu'avec une pareille étendue d'esprit et de courage, le désir de gloire conduit l'un à être usurpateur, et l'autre à servir de modèle d'un parfait citoyen. Mon dessein n'est pas de faire ici le parallèle de ces deux grands hommes, après tout ce qui en est écrit : je dirai seulement que, quelque grands et illustres qu'ils nous paraissent, la nature et la fortune n'auraient pu mettre toutes leurs qualités dans le jour qui convenait pour les faire éclater, si elles n'eussent opposé Caton à César. Il fallait les faire naître en même temps, dans une même république, différents par leurs mœurs et par leurs talents, ennemis par les intérêts de la patrie et par des intérêts domestiques; l'un, vaste dans ses desseins, et sans bornes dans ses ambitions; l'autre, austère, renfermé dans les lois de Rome, et idolâtre de la liberté; tous deux célèbres par des vertus qui les montraient par de si différents côtés, et plus célèbres encore, si l'on ose dire, par l'opposition que la fortune et la nature ont pris soin de mettre entre eux. Quel arrangement, quelle suite, quelle économie de circonstances dans la vie de Caton, et dans sa mort! La destinée même de la République a servi au tableau que la fortune nous a voulu donner de ce grand homme, et elle finit sa vie avec la liberté de son pays.

Si nous laissons les exemples des siècles passés pour venir aux exemples du siècle présent, on trouvera que la nature et la fortune ont conservé cette même union dont j'ai parlé, pour nous montrer de différents modèles en deux hommes consommés en l'art de commander. Nous verrons Monsieur le Prince[217] et M. de Turenne disputer de la gloire des armes, et mériter, par un nombre infini d'actions éclatantes, la réputation qu'ils ont acquise. Ils paraîtront avec une valeur et une expérience égales; infatigables de corps et d'esprit, on les verra agir ensemble, agir séparément, et quelquefois opposés l'un à l'autre; nous les verrons, heureux et malheureux dans diverses occasions de la guerre, devoir les bons succès à leur conduite et à leur courage, et se montrer toujours plus grands, même par leurs disgrâces; tous deux sauver l'État; tous deux contribuer à le détruire, et se servir des mêmes talents, par des voies différentes : M. de Turenne, suivant ses desseins avec plus de règle et moins de vivacité, d'une valeur plus retenue, et toujours proportionnée au besoin de la faire paraître; Monsieur le Prince, inimitable en la manière de voir et d'exécuter les plus grandes choses, entraîné par la supériorité de son génie, qui semble lui soumettre les événements et les faire servir à sa gloire. La faiblesse des armées qu'ils ont commandées dans les dernières campagnes, et la puissance des ennemis qui leur étaient opposés, ont donné de nouveaux sujets à l'un et à l'autre de montrer toute leur vertu, et de réparer par leur mérite tout ce qui leur manquait pour soutenir la guerre. La mort même de M. de Turenne[218], si convenable à une si belle vie, accompagnée de tant de circonstances singulières, et arrivée dans un moment si important, ne nous paraît-elle pas comme un effet de la crainte et de l'incertitude de la fortune, qui n'a osé décider de la destinée de la France et de l'Empire? Cette même fortune, qui retire Monsieur le Prince du commandement des armées, sous le prétexte de sa santé, et dans un temps où il devait achever de si grandes choses, ne se joint-elle pas à la nature pour nous montrer présentement ce grand homme dans une vie privée, exerçant des vertus paisibles, et soutenu de sa propre gloire? Brille-t-il moins dans sa retraite qu'au milieu de ses victoires?

---

217. Condé; 218. Survenue le 27 juillet 1675.

15. Des coquettes et des vieillards.

S'il est malaisé de rendre raison des goûts en général, il le doit être encore davantage de rendre raison du goût des femmes coquettes : on peut dire néanmoins que l'envie de plaire se répand généralement sur tout ce qui peut flatter leur vanité, et qu'elles ne trouvent rien d'indigne de leurs conquêtes; mais le plus incompréhensible de tous leurs goûts est, à mon sens, celui qu'elles ont pour les vieillards qui ont été galants. Ce goût paraît trop bizarre, et il y en a trop d'exemples, pour ne chercher pas la cause d'un sentiment tout à la fois si commun, et si contraire à l'opinion que l'on a des femmes. Je laisse aux philosophes à décider si c'est un soin charitable de la nature, qui veut consoler les vieillards dans leurs misères, et qui leur fournit le secours des coquettes, par la même prévoyance qui lui fait donner des ailes aux chenilles, dans le déclin de leur vie, pour les rendre papillons; mais sans pénétrer dans les secrets de la physique, on peut, ce me semble, chercher des causes plus sensibles de ce goût dépravé des coquettes pour les vieilles gens. Ce qui est plus apparent, c'est qu'elles aiment les prodiges, et qu'il n'y a point qui doive plus toucher leur vanité que de ressusciter un mort. Elles ont le plaisir de l'attacher à leur char, et d'en parer leur triomphe, sans que leur réputation en soit blessée : au contraire, un vieillard est un ornement à la suite d'une coquette, et il est aussi nécessaire dans son train, que les nains l'étaient autrefois dans *Amadis*. Elles n'ont point d'esclaves si commodes et si utiles : elles paraissent bonnes et solides, en conservant un ami sans conséquence; il publie leurs louanges, il gagne créance vers les maris, et leur répond de la conduite de leurs femmes. S'il a du crédit, elles en retirent mille secours; il entre dans tous les intérêts et dans tous les besoins de la maison. S'il sait les bruits qui courent des véritables galanteries, il n'a garde de les croire; il les étouffe, et assure que le monde est médisant; il juge, par sa propre expérience, des difficultés qu'il y a de toucher le cœur d'une si bonne femme; plus on lui fait acheter des grâces et des faveurs, plus il est discret et fidèle; son propre intérêt l'engage assez au silence; il craint toujours d'être quitté, et il se trouve trop heureux d'être souffert. Il se persuade aisément qu'il est aimé, puisqu'on le choisit contre tant d'apparence : il croit que c'est un privilège de son vieux mérite, et remercie l'amour de se souvenir de lui dans tous les temps.

Elle, de son côté, ne voudrait pas manquer à ce qu'elle lui a promis : elle lui fait remarquer qu'il a toujours touché son inclination, et qu'elle n'aurait jamais aimé, si elle ne l'avait jamais connu; elle le prie surtout de n'être pas jaloux et de se fier en elle; elle lui avoue qu'elle aime un peu le monde et le commerce des honnêtes gens, qu'elle a même intérêt d'en ménager plusieurs à la fois, pour ne laisser pas voir qu'elle le traite différemment des autres; que si elle fait quelques railleries de lui avec ceux dont on s'est avisé de parler, c'est seulement pour avoir le plaisir de le nommer souvent, ou pour mieux cacher ses sentiments; qu'après tout, il est le maître de sa conduite, et que, pourvu qu'il en soit content, et qu'il l'aime toujours, elle se met aisément en repos du reste. Quel vieillard ne se rassure pas par des raisons si convaincantes, qui l'ont souvent trompé quand il était jeune et aimable? Mais, pour son malheur, il oublie trop aisément qu'il n'est plus ni l'un ni l'autre, et cette faiblesse est, de toutes, la plus ordinaire aux vieilles gens qui ont été aimés. Je ne sais si cette tromperie ne leur vaut pas mieux encore que de connaître la vérité : on les souffre du moins; on les amuse; ils sont détournés de la vue de leurs propres misères; et le ridicule où ils tombent est souvent un moindre mal pour eux que les ennuis et l'anéantissement d'une vie pénible et languissante.

16. De la différence des esprits.

Bien que toutes les qualités de l'esprit se puissent rencontrer dans un grand esprit, il y en a néanmoins qui lui sont propres et particulières : ses lumières n'ont point de bornes; il agit toujours également, et avec la même activité; il discerne les objets éloignés, comme s'ils étaient présents; il comprend, il imagine les plus grandes choses; il voit et connaît les plus petites; ses pensées sont relevées, étendues, justes et intelligibles; rien n'échappe à sa pénétration, et elle lui fait toujours découvrir la vérité, au travers des obscurités qui la cachent aux autres. Mais toutes ces grandes qualités ne peuvent souvent empêcher que l'esprit ne paraisse petit et faible, quand l'humeur s'en est rendue la maîtresse.

Un bel esprit pense toujours noblement; il produit avec facilité des choses claires, agréables et naturelles; il les fait voir dans leur plus beau jour, et il les pare de tous les ornements qui leur conviennent; il entre dans le goût des autres,

...ctorieuse
...ces.
...ris, musée du Louvre.

et retranche de ses pensées ce qui est inutile, ou ce qui peut déplaire. Un esprit adroit, facile, insinuant, sait éviter et surmonter les difficultés; il se plie aisément à ce qu'il veut; il sait connaître et suivre l'esprit et l'humeur de ceux avec qui il traite; et en ménageant leurs intérêts, il avance et il établit les siens. Un bon esprit voit toutes choses comme elles doivent être vues; il leur donne le prix qu'elles méritent, il les sait tourner du côté qui lui est le plus avantageux, et il s'attache avec fermeté à ses pensées, parce qu'il en connaît toute la force et toute la raison.

Il y a de la différence entre un esprit utile et un esprit d'affaire; on peut entendre les affaires, sans s'appliquer à son intérêt particulier : il y a des gens habiles dans tout ce qui ne les regarde pas, et très malhabiles dans ce qui les regarde; et il y en a d'autres, au contraire, qui ont une habileté bornée à ce qui les touche, et qui savent trouver leur avantage en toutes choses.

On peut avoir, tout ensemble, un air sérieux dans l'esprit, et dire souvent des choses agréables et enjouées; cette sorte d'esprit convient à toutes personnes et à tous les âges de la vie. Les jeunes gens ont d'ordinaire l'esprit enjoué et moqueur, sans l'avoir sérieux, et c'est ce qui les rend souvent incommodes. Rien n'est plus malaisé à soutenir que le dessein d'être toujours plaisant, et les applaudissements qu'on reçoit quelquefois en divertissant les autres ne valent pas que l'on s'expose à la honte de les ennuyer souvent, quand ils sont de méchante humeur. La moquerie est une des plus agréables et des plus dangereuses qualités de l'esprit : elle plaît toujours, quand elle est délicate; mais on craint toujours aussi ceux qui s'en servent trop souvent. La moquerie peut néanmoins être permise, quand elle n'est mêlée d'aucune malignité, et quand on y fait entrer les personnes mêmes dont on parle.

Il est malaisé d'avoir un esprit de raillerie sans affecter d'être plaisant, ou sans aimer à se moquer; il faut une grande justesse pour railler longtemps, sans tomber dans l'une ou l'autre de ces extrémités. La raillerie est un air de gaieté qui remplit l'imagination, et qui lui fait voir en ridicule les objets qui se présentent; l'humeur y mêle plus ou moins de douceur et d'âpreté : il y a une manière de railler, délicate et flatteuse, qui touche seulement les défauts que les personnes dont on parle veulent bien avouer, qui sait déguiser les louanges qu'on leur donne sous des apparences de blâme, et qui découvrent ce qu'elles ont d'aimable, en feignant de le vouloir cacher.

Un esprit fin et un esprit de finesse sont très différents. Le premier plaît toujours; il est délié, il pense des choses délicates, et voit les plus imperceptibles. Un esprit de finesse ne va jamais droit : il cherche des biais et des détours pour faire réussir ses desseins; cette conduite est bientôt découverte; elle se fait toujours craindre et ne mène presque jamais aux grandes choses.

Il y a quelque différence entre un esprit de feu et un esprit brillant : un esprit de feu va plus loin et avec plus de rapidité; un esprit brillant a de la vivacité, de l'agrément et de la justesse.

La douceur de l'esprit, c'est un air facile et accommodant, qui plaît toujours, quand il n'est point fade.

Un esprit de détail s'applique avec de l'ordre et de la règle à toutes les particularités des sujets qu'on lui présente : cette application le renferme d'ordinaire à de petites choses; elle n'est pas néanmoins toujours incompatible avec de grandes vues, et quand ces deux qualités se trouvent ensemble dans un même esprit, elles l'élèvent infiniment au-dessus des autres.

On a abusé du terme de *bel esprit*, et bien que tout ce qu'on vient de dire des différentes qualités de l'esprit puisse convenir à un bel esprit, néanmoins comme ce titre a été donné à un nombre infini de mauvais poètes et d'auteurs ennuyeux, on s'en sert plus souvent pour tourner les gens en ridicule, que pour les louer.

Bien qu'il y ait plusieurs épithètes pour l'esprit qui paraissent une même chose, le ton et la manière de les prononcer y mettent de la différence, mais comme les tons et les manières de dire ne se peuvent écrire, je n'entrerai point dans un détail qu'il serait impossible de bien expliquer. L'usage ordinaire le fait assez entendre; et en disant qu'un homme a *de l'esprit*, qu'il a *bien de l'esprit*, qu'il a *beaucoup d'esprit*, et qu'il a *bon esprit*, il n'y a que les tons et les manières qui puissent mettre de la différence entre ces expressions, qui paraissent semblables sur le papier, et qui expriment néanmoins de très différentes sortes d'esprit.

On dit encore qu'un homme n'a que d'*une sorte* d'esprit, qu'il a de *plusieurs sortes* d'esprit, et qu'il a de *toutes sortes* d'esprit. On peut être sot avec beaucoup d'esprit, et on peut n'être pas sot avec peu d'esprit.

Avoir beaucoup d'esprit est un terme équivoque : il peut comprendre toutes les sortes d'esprit dont on vient de parler, mais il peut aussi n'en marquer aucune distinctement. On peut quelquefois faire paraître de l'esprit dans ce qu'on dit, sans en avoir dans sa conduite; on peut avoir de l'esprit, et l'avoir borné; un esprit peut être propre à de certaines choses, et ne l'être pas à d'autres; on peut avoir beaucoup d'esprit et n'être propre à rien, et avec beaucoup d'esprit, on est souvent fort incommode. Il semble néanmoins que le plus grand mérite de cette sorte d'esprit est de plaire quelquefois dans la conversation.

Bien que les productions d'esprit soient infinies, on peut, ce me semble, les distinguer de cette sorte : il y a des choses si belles, que tout le monde est capable d'en voir et d'en sentir la beauté; il y en a qui ont de la beauté et qui ennuient; il y en a qui sont belles, que tout le monde sent et admire, bien que tous n'en sachent pas la raison; il y en a qui sont si fines et si délicates, que peu de gens sont capables d'en remarquer toutes les beautés; enfin il y en a d'autres qui ne sont pas parfaites, mais qui sont dites avec tant d'art, et qui sont soutenues et conduites avec tant de raison et tant de grâce, qu'elles méritent d'être admirées.

17. Des événements de ce siècle.

L'histoire, qui nous apprend ce qui arrive dans le monde, nous montre également les grands événements et les médiocres : cette confusion d'objets nous empêche souvent de discerner avec assez d'attention les choses extraordinaires qui sont renfermées dans le cours de chaque siècle. Celui où nous vivons en a produit, à mon sens, de plus singuliers que les précédents : j'ai voulu en écrire quelques-uns pour les rendre plus remarquables aux personnes qui voudront y faire réflexion.

Marie de Médicis, reine de France, femme de Henri le Grand, fut mère du roi Louis XIII, de Gaston, fils de France, de la reine d'Espagne, de la duchesse de Savoie, et de la reine d'Angleterre[219]; elle fut régente en France, et gouverna le Roi, son fils, et son royaume pendant plusieurs années. Elle éleva Armand de Richelieu à la dignité de cardinal; elle le fit premier ministre, maître de l'État et de l'esprit du Roi. Elle avait peu de vertus et peu de défauts qui la dussent faire craindre, et

---

219. Elisabeth fut mariée en 1615 à Philippe IV d'*Espagne*; Christine, en 1619, à Victor-Amédée Ier de *Savoie*; Henriette-Marie, en 1625, à Charles Ier d'*Angleterre*.

néanmoins, après tant d'éclat et de grandeurs, cette princesse, veuve de Henri IV et mère de tant de rois, a été arrêtée prisonnière par le Roi, son fils, et par la troupe du cardinal de Richelieu, qui lui devait sa fortune. Elle a été délaissée des autres rois, ses enfants, qui n'ont osé même la recevoir dans leurs États, et elle est morte de misère, et presque de faim, à Cologne, après une persécution de dix années.

Ange de Joyeuse[220], duc et pair, maréchal de France et amiral, jeune, riche, galant et heureux, abandonna tant d'avantages pour se faire capucin. Après quelques années, les besoins de l'État le rappelèrent au monde; le Pape le dispensa de ses vœux, et lui ordonna d'accepter le commandement des armées du Roi contre les huguenots; il demeura quatre ans dans cet emploi, et se laissa entraîner, pendant ce temps, aux mêmes passions qui l'avaient agité pendant sa jeunesse. La guerre étant finie, il renonça une seconde fois au monde, et reprit l'habit de capucin; il vécut longtemps dans une vie sainte et religieuse; mais la vanité, dont il avait triomphé dans le milieu des grandeurs, triompha de lui dans le cloître; il fut élu gardien du couvent de Paris, et son élection étant contestée par quelques religieux, il s'exposa, non seulement à aller à Rome, dans un âge avancé, à pied, et malgré les autres incommodités d'un si pénible voyage, mais la même opposition des religieux s'étant renouvelée à son retour, il partit une seconde fois pour retourner à Rome soutenir un intérêt si peu digne de lui, et il mourut en chemin, de fatigue, de chagrin, et de vieillesse.

Trois hommes de qualité, Portugais, suivis de dix-sept de leurs amis, entreprirent la révolte de Portugal et des Indes qui en dépendent, sans concert avec les peuples ni avec les étrangers, et sans intelligence dans les places. Ce petit nombre de conjurés se rendit maître du palais de Lisbonne, en chassa la douairière de Mantoue, régente pour le roi d'Espagne, et fit soulever tout le royaume; il ne périt dans ce désordre que Vasconcellos, ministre d'Espagne, et deux de ses domestiques. Un si grand changement se fit en faveur du duc de Bragance, et sans sa participation; il fut déclaré roi contre sa propre volonté, et se trouva le seul homme de Portugal qui résistât à son élection; il a possédé ensuite cette couronne pendant quatorze années, n'ayant ni élévation, ni mérite; il est mort dans son lit, et a laissé son royaume paisible à ses enfants.

---

220. Le P. *Ange* (1567-1608) était le frère du favori d'Henri III.

Le cardinal de Richelieu a été maître absolu du royaume de France pendant le règne d'un roi qui lui laissait le gouvernement de son État, lorsqu'il n'osait lui confier sa propre personne; le Cardinal avait aussi les mêmes défiances du Roi, et il évitait d'aller chez lui, craignant d'exposer sa vie ou sa liberté; le Roi néanmoins sacrifie Cinq-Mars, son favori, à la vengeance du Cardinal, et consent qu'il périsse sur un échafaud. Ensuite le Cardinal meurt dans son lit; il dispose par son testament des charges et des dignités de l'État, et oblige le Roi, dans le plus fort de ses soupçons et de sa haine, à suivre aussi aveuglément ses volontés après sa mort, qu'il avait fait pendant sa vie.

On doit sans doute trouver extraordinaire que Anne-Marie-Louise d'Orléans[221], petite-fille de France, la plus riche sujette de l'Europe, destinée pour les plus grands rois, avare, rude et orgueilleuse, ait pu former le dessein, à quarante-cinq ans, d'épouser Puyguilhem, cadet de la maison de Lauzun, assez mal de sa personne, d'un esprit médiocre, et qui n'a, pour toute bonne qualité, que d'être hardi et insinuant. Mais on doit être encore plus surpris que Mademoiselle ait pris cette chimérique résolution par un esprit de servitude et parce que Puyguilhem était bien auprès du Roi; l'envie d'être femme d'un favori lui tint lieu de passion, elle oublia son âge et sa naissance, et, sans avoir d'amour, elle fit des avances à Puyguilhem qu'un amour véritable ferait à peine excuser dans une jeune personne et d'une moindre condition. Elle lui dit un jour qu'il n'y avait qu'un seul homme qu'elle pût choisir pour épouser. Il la pressa de lui apprendre son choix; mais n'ayant pas la force de prononcer son nom, elle voulut l'écrire avec un diamant sur les vitres d'une fenêtre. Puyguilhem jugea sans doute ce qu'elle allait faire, et espérant peut-être qu'elle lui donnerait cette déclaration par écrit, dont il pourrait faire quelque usage, il feignit une délicatesse de passion qui pût plaire à Mademoiselle, et il lui fit un scrupule d'écrire sur du verre un sentiment qui devait durer éternellement. Son dessein réussit comme il désirait, et Mademoiselle écrivit le soir dans du papier : « C'est vous. » Elle le cacheta elle-même; mais, comme cette aventure se passait un jeudi et que minuit sonna avant que Mademoiselle pût donner son billet à Puyguilhem, elle ne voulut pas paraître moins scrupuleuse que lui, et crai-

---

221. Il s'agit de Mlle de Montpensier — « la Grande Mademoiselle ».

gnant que le vendredi ne fût un jour malheureux, elle lui fit promettre d'attendre au samedi à ouvrir le billet qui lui devait apprendre cette grande nouvelle. L'excessive fortune que cette déclaration faisait envisager à Puyguilhem ne lui parut point au-dessus de son ambition. Il songea à profiter du caprice de Mademoiselle, et il eut la hardiesse d'en rendre compte au Roi. Personne n'ignore qu'avec si grandes et éclatantes qualités nul prince au monde n'a jamais eu plus de hauteur, ni plus de fierté. Cependant, au lieu de perdre Puyguilhem d'avoir osé lui découvrir ses espérances, il lui permit non seulement de les conserver, mais il consentit que quatre officiers de la couronne lui vinssent demander son approbation pour un mariage si surprenant, et sans que Monsieur, ni Monsieur le Prince en eussent entendu parler. Cette nouvelle se répandit dans le monde, et le remplit d'étonnement et d'indignation. Le Roi ne sentit pas alors ce qu'il venait de faire contre sa gloire et contre sa dignité. Il trouva seulement qu'il était de sa grandeur d'élever en un jour Puyguilhem au-dessus des plus grands du Royaume, et, malgré tant de disproportion, il le jugea digne d'être son cousin germain, le premier pair de France, et maître de cinq cent mille livres de rente; mais ce qui le flatta le plus encore, dans un si extraordinaire dessein, ce fut le plaisir secret de surprendre le monde, et de faire, pour un homme qu'il aimait, ce que personne n'avait encore imaginé. Il fut au pouvoir de Puyguilhem de profiter, durant trois jours, de tant de prodiges que la fortune avait faits en sa faveur, et d'épouser Mademoiselle; mais, par un prodige plus grand encore, sa vanité ne put être satisfaite s'il ne l'épousait avec les mêmes cérémonies que s'il eût été de sa qualité : il voulut que le Roi et la Reine fussent témoins de ses noces, et qu'elles eussent tout l'éclat que leur présence y pouvait donner. Cette présomption sans exemple lui fit employer à de vains préparatifs et à passer son contrat tout le temps qui pouvait assurer son bonheur. Mme de Montespan, qui le haïssait, avait suivi néanmoins le penchant du Roi et ne s'était point opposée à ce mariage. Mais le bruit du monde la réveilla; elle fit voir au Roi ce que lui seul ne voyait pas encore; elle lui fit écouter la voix publique; il connut l'étonnement des ambassadeurs, il reçut les plaintes et les remontrances respectueuses de Madame douairière[222] et de toute la maison royale. Tant de raisons firent

---

222. Veuve de Gaston d'Orléans et belle-mère de Mademoiselle.

longtemps balancer le Roi, et ce fut avec une extrême peine qu'il déclara à Puyguilhem qu'il ne pouvait consentir ouvertement à son mariage. Il l'assura néanmoins que ce changement en apparence ne changeait rien en effet; qu'il était forcé, malgré lui, de céder à l'opinion générale, et de lui défendre d'épouser Mademoiselle, mais qu'il ne prétendait pas que cette défense empêchât son bonheur. Il le pressa de se marier en secret, et il lui promit que la disgrâce qui devait suivre une telle faute ne durerait que huit jours. Quelque sentiment que ce discours pût donner à Puyguilhem, il dit au Roi qu'il renonçait avec joie à tout ce qu'il lui avait permis d'espérer, puisque sa gloire en pouvait être blessée, et qu'il n'y avait point de fortune qui le pût consoler d'être huit jours séparé de lui. Le Roi fut véritablement touché de cette soumission : il n'oublia rien pour obliger Puyguilhem à profiter de la faiblesse de Mademoiselle, et Puyguilhem n'oublia rien aussi, de son côté, pour faire voir au Roi qu'il lui sacrifiait toutes choses. Le désintéressement seul ne fit pas prendre néanmoins cette conduite à Puyguilhem : il crut qu'elle l'assurait pour toujours de l'esprit du Roi, et que rien ne pourrait à l'avenir diminuer sa faveur. Son caprice et sa vanité le portèrent même si loin, que ce mariage si grand et si disproportionné lui parut insupportable, parce qu'il ne lui était plus permis de le faire avec tout le faste et tout l'éclat qu'il s'était proposé. Mais ce qui le détermina le plus puissamment à le rompre, ce fut l'aversion insurmontable qu'il avait pour la personne de Mademoiselle, et le dégoût d'être son mari. Il espéra même de tirer des avantages solides de l'emportement de Mademoiselle, et que, sans l'épouser, elle lui donnerait la souveraineté de Dombes et le duché de Montpensier. Ce fut dans cette vue qu'il refusa d'abord toutes les grâces dont le Roi voulut le combler; mais l'humeur avare et inégale de Mademoiselle, et les difficultés qui se rencontrèrent à assurer de si grands biens à Puyguilhem, rendirent ce dessein inutile, et l'obligèrent à recevoir les bienfaits du Roi. Il lui donna le gouvernement de Berry et cinq cent mille livres. Des avantages si considérables ne répondirent pas toutefois aux espérances que Puyguilhem avait formées. Son chagrin fournit bientôt à ses ennemis, et particulièrement à Mme de Montespan, tous les prétextes qu'ils souhaitaient pour le ruiner. Il connut son état et sa décadence, et, au lieu de se ménager auprès du Roi avec de la douceur, de la patience et de l'habileté, rien ne fut plus capable de retenir son esprit âpre et fier.

Il fit enfin des reproches au Roi; il lui dit même des choses rudes et piquantes, jusqu'à casser son épée en sa présence, en disant qu'il ne la tirerait plus pour son service; il lui parla avec mépris de Mme de Montespan, et s'emporta contre elle avec tant de violence qu'elle douta de sa sûreté, et n'en trouva plus qu'à le perdre. Il fut arrêté bientôt après, et on le mena à Pignerol, où il éprouva par une longue et dure prison la douleur d'avoir perdu les bonnes grâces du Roi, et d'avoir laissé échapper par une fausse vanité tant de grandeurs et tant d'avantages que la condescendance de son maître et la bassesse de Mademoiselle lui avaient présentés.

Alphonse VI, roi de Portugal, fils du duc de Bragance dont je viens de parler, s'est marié, en France, à la fille du duc de Nemours²²³, jeune, sans biens et sans protection. Peu de temps après, cette princesse a formé le dessein de quitter le Roi, son mari; elle l'a fait arrêter dans Lisbonne et les mêmes troupes qui, un jour auparavant, le gardaient comme leur roi, l'ont gardé le lendemain comme prisonnier; il a été confiné dans une île de ses propres États, et on lui a laissé la vie et le titre de roi. Le prince de Portugal, son frère, a épousé la Reine; elle conserve sa dignité, et elle a revêtu le prince, son mari, de toute l'autorité du gouvernement, sans lui donner le nom de roi; elle jouit tranquillement du succès d'une entreprise si extraordinaire, en paix avec les Espagnols, et sans guerre civile dans le royaume.

Un vendeur d'herbes, nommé Masaniel, fit soulever le menu peuple de Naples, et malgré la puissance des Espagnols, il usurpa l'autorité royale; il disposa souverainement de la vie, de la liberté, et des biens de tout ce qui lui fut suspect; il se rendit maître des douanes; il dépouilla les partisans²²⁴ de tout leur argent et de leurs meubles, et fit brûler publiquement toutes ces richesses immenses dans le milieu de la ville, sans qu'un seul de cette foule confuse de révoltés voulut profiter d'un bien qu'on croyait mal acquis. Ce prodige ne dura que quinze jours, et finit par un autre prodige : ce même Masaniel, qui achevait de si grandes choses avec tant de bonheur, de gloire, et de conduite, perdit subitement l'esprit, et mourut frénétiquement, en vingt-quatre heures.

---

223. La fille de Charles-Amédée de Savoie; elle prit le pouvoir en 1667; 224. *Partisan* : financier chargé du recouvrement des impôts.

La reine de Suède[225], en paix dans ses États et avec ses voisins, aimée de ses sujets, respectée des étrangers, jeune et sans dévotion, a quitté volontairement son royaume, et s'est réduite à une vie privée. Le roi de Pologne[226], de la même maison que la reine de Suède, s'est démis aussi de la royauté, par la seule lassitude d'être roi.

Un lieutenant d'infanterie[227], sans nom et sans crédit, a commencé, à l'âge de quarante-cinq ans, de se faire connaître dans les désordres d'Angleterre. Il a dépossédé son roi légitime, bon, juste, doux, vaillant et libéral; il lui a fait trancher la tête, par un arrêt de son parlement; il a changé la royauté en république; il a été dix ans maître de l'Angleterre, plus craint de ses voisins, et plus absolu dans son pays que tous les rois qui y ont régné. Il est mort paisible, et en pleine possession de toute la puissance du royaume.

Les Hollandais ont secoué le joug de la domination d'Espagne; ils ont formé une puissante république, et ils ont soutenu cent ans la guerre contre leurs rois légitimes, pour conserver leur liberté. Ils doivent tant de grandes choses à la conduite et à la valeur des princes d'Orange, dont ils ont néanmoins toujours redouté l'ambition, et limité le pouvoir. Présentement cette république, si jalouse de sa puissance, accorde au prince d'Orange d'aujourd'hui, malgré son peu d'expérience et ses malheureux succès dans la guerre, ce qu'elle a refusé à ses pères; elle ne se contente pas de relever sa fortune abattue : elle le met en état de se faire souverain de Hollande, et elle a souffert qu'il ait fait déchirer par le peuple un homme qui maintenait seul la liberté publique[228].

Cette puissance d'Espagne, si étendue et si formidable à tous les rois du monde, trouve aujourd'hui son principal appui dans ses sujets rebelles, et se soutient par la protection des Hollandais.

Un empereur[229], jeune, faible, simple, gouverné par des ministres incapables, et pendant le plus grand abaissement de la maison d'Autriche, se trouve, en un moment, chef de tous les princes d'Allemagne, qui craignent son autorité et méprisent sa personne, et il est plus absolu que n'a jamais été Charles Quint.

---

225. Christine de Suède, qui abdiqua en 1645 et que La Rochefoucauld rencontra à Paris onze ans plus tard; 226. Casimir V (abdiqua en 1668); 227. Il s'agit d'Olivier Cromwell, qui fit exécuter Charles Ier en 1649, protecteur de la république d'Angleterre jusqu'à sa mort en 1658; 228. Jean de Witt, qui fut tué en 1672; 229. Léopold Ier.

Le roi d'Angleterre[230], faible, paresseux, et plongé dans les plaisirs, oubliant les intérêts de son royaume et ses exemples domestiques, s'est exposé avec fermeté, pendant six ans, à la fureur de ses peuples et à la haine de son parlement, pour conserver une liaison étroite avec le roi de France; au lieu d'arrêter les conquêtes de ce prince dans les Pays-Bas, il y a même contribué, en lui fournissant des troupes. Cet attachement l'a empêché d'être maître absolu de l'Angleterre, et d'en étendre les frontières en Flandre et en Hollande, par des places et par des ports qu'il a toujours refusés; mais dans le temps même qu'il reçoit des sommes considérables du Roi, et qu'il a le plus de besoin d'en être soutenu contre ses propres sujets, il renonce, sans prétexte, à tant d'engagements, et il se déclare contre la France, précisément quand il lui est utile et honnête d'y être attaché; par une mauvaise politique précipitée, il perd, en un moment, le seul avantage qu'il pouvait retirer d'une mauvaise politique de six années, et ayant pu donner la paix comme médiateur, il est réduit à la demander comme suppliant, quand le Roi l'accorde à l'Espagne, à l'Allemagne et à la Hollande.

Les propositions qui avaient été faites au roi d'Angleterre de marier sa nièce, la princesse d'York[231], au prince d'Orange, ne lui étaient pas agréables; le duc d'York en paraissait aussi éloigné que le Roi son frère, et le prince d'Orange même, rebuté par les difficultés de ce dessein, ne pensait plus à le faire réussir. Le roi d'Angleterre, étroitement lié au roi de France, consentait à ses conquêtes, lorsque les intérêts du grand trésorier d'Angleterre[232], et la crainte d'être attaqué par le Parlement, lui ont fait chercher sa sûreté particulière, en disposant le Roi, son maître, à s'unir avec le prince d'Orange, par le mariage de la princesse d'York, et à faire déclarer l'Angleterre contre la France, pour la protection des Pays-Bas. Ce changement du roi d'Angleterre a été si prompt et si secret, que le duc d'York l'ignorait encore deux jours devant le mariage de sa fille, et personne ne se pouvait persuader que le roi d'Angleterre, qui avait hasardé dix ans de sa vie et sa couronne pour demeurer attaché à la France, pût renoncer, en un moment, à tout ce qu'il en espérait, pour suivre le sentiment de son ministre. Le prince d'Orange, de son côté, qui avait

---

230. Charles II; 231. Marie, fille du futur Jacques II; 232. Thomas Clifford (1630-1673).

tant d'intérêt de se faire un chemin pour être un jour roi d'Angleterre, négligeait ce mariage, qui le rendait héritier présomptif du royaume; il bornait ses desseins à affermir son autorité en Hollande, malgré les mauvais succès de ses dernières campagnes, et il s'appliquait à se rendre aussi absolu dans les autres provinces de cet État qu'il le croyait être dans la Zélande; mais il s'aperçut bientôt qu'il devait prendre d'autres mesures, et une aventure ridicule lui fit mieux connaître l'état où il était dans son pays, qu'il ne le voyait par ses propres lumières. Un crieur public vendait des meubles à un encan où beaucoup de monde s'assembla; il mit en vente un atlas, et voyant que personne ne l'enchérissait, il dit au peuple que ce livre était néanmoins plus rare qu'on ne pensait, et que les cartes en étaient si exactes, que la rivière dont M. le prince d'Orange n'avait eu aucune connaissance, lorsqu'il perdit la bataille de Cassel[233], y était fidèlement marquée. Cette raillerie, qui fut reçue avec un applaudissement universel, a été un des plus puissants motifs qui ont obligé le prince d'Orange à rechercher de nouveau l'alliance de l'Angleterre, pour contenir la Hollande, et pour joindre tant de puissances contre nous. Il semble néanmoins que ceux qui ont désiré ce mariage, et ceux qui y ont été contraires, n'ont pas connu leurs intérêts : le grand trésorier d'Angleterre a voulu adoucir le Parlement et se garantir d'en être attaqué, en portant le Roi, son maître, à donner sa nièce au prince d'Orange, et à se déclarer contre la France; le roi d'Angleterre a cru affermir son autorité dans son royaume par l'appui du prince d'Orange, et il a prétendu engager ses peuples à lui fournir de l'argent pour ses plaisirs, sous prétexte de faire la guerre au roi de France et de le contraindre à recevoir la paix; le prince d'Orange a eu dessein de soumettre la Hollande par la protection de l'Angleterre; la France a appréhendé qu'un mariage si opposé à ses intérêts n'emportât la balance, en joignant l'Angleterre à tous nos ennemis. L'événement a fait voir, en six semaines, la fausseté de tant de raisonnements : ce mariage met une défiance éternelle entre l'Angleterre et la Hollande, et toutes deux le regardent comme un dessein d'opprimer leur liberté; le Parlement d'Angleterre attaque les ministres du Roi, pour attaquer ensuite sa propre personne; les États de Hollande, lassés de la guerre et jaloux

---

233. En avril 1677.

de leur liberté, se repentent d'avoir mis leur autorité entre les mains d'un jeune homme ambitieux, et héritier présomptif de la couronne d'Angleterre; le roi de France, qui a d'abord regardé ce mariage comme une nouvelle ligue qui se formait contre lui, a su s'en servir pour diviser ses ennemis, et pour se mettre en état de prendre la Flandre, s'il n'avait préféré la gloire de faire la paix à la gloire de faire de nouvelles conquêtes[234].

Si le siècle présent n'a pas moins produit d'événements extraordinaires que les siècles passés, on conviendra sans doute qu'il a le malheureux avantage de les surpasser dans l'excès des crimes. La France même, qui les a toujours détestés, qui y est opposée par l'humeur de la nation, par la religion, et qui est soutenue par les exemples du prince qui règne, se trouve néanmoins aujourd'hui le théâtre où l'on voit paraître tout ce que l'histoire et la fable nous ont dit des crimes de l'antiquité. Les vices sont de tous les temps; les hommes sont nés avec de l'intérêt, de la cruauté et de la débauche; mais si les personnes que tout le monde connaît avaient paru dans les premiers siècles, parlerait-on présentement des prostitutions d'Héliogabale, de la foi des Grecs, et des poisons et des parricides de Médée?

18. De l'inconstance.

Je ne prétends pas justifier ici l'inconstance en général, et moins encore celle qui vient de la seule légèreté; mais il n'est pas juste aussi de lui imputer tous les autres changements de l'amour. Il y a une première fleur d'agrément et de vivacité dans l'amour, qui passe insensiblement, comme celle des fruits; ce n'est la faute de personne; c'est seulement la faute du temps. Dans les commencements, la figure est aimable; les sentiments ont du rapport : on cherche de la douceur et du plaisir; on veut plaire, parce qu'on nous plaît, et on cherche à faire voir qu'on sait donner un prix infini à ce qu'on aime; mais, dans la suite, on ne sent plus ce qu'on croyait sentir toujours : le feu n'y est plus; le mérite de la nouveauté s'efface; la beauté, qui a tant de part à l'amour, ou diminue, ou ne fait plus la même impression; le nom d'amour se conserve, mais on ne

---

234. Le mariage de Guillaume III d'Orange date de 1678; la paix de Nimègue fut conclue cette même année, le 10 août.

se retrouve plus les mêmes personnes, ni les mêmes sentiments; on suit encore ses engagements, par honneur, par accoutumance, et pour n'être pas assez assuré de son propre changement.

Quelles personnes auraient commencé de s'aimer, si elles s'étaient vues d'abord comme on se voit dans la suite des années? Mais quelles personnes aussi se pourraient séparer, si elles se revoyaient comme on s'est vu la première fois? L'orgueil, qui est presque toujours le maître de nos goûts, et qui ne se rassasie jamais, serait flatté sans cesse par quelque nouveau plaisir; mais la constance perdrait son mérite, elle n'aurait plus de part à une si agréable liaison; les faveurs présentes auraient la même grâce que les faveurs premières, et le souvenir n'y mettrait point de différence; l'inconstance serait même inconnue, et on s'aimerait toujours avec le même plaisir, parce qu'on aurait toujours les mêmes sujets de s'aimer. Les changements qui arrivent dans l'amitié ont à peu près des causes pareilles à ceux qui arrivent dans l'amour; leurs règles ont beaucoup de rapport : si l'un a plus d'enjouement et de plaisir, l'autre doit être plus égale et plus sévère, et ne pardonner rien; mais le temps, qui change l'humeur et les intérêts, les détruit presque également tous deux. Les hommes sont trop faibles et trop changeants pour soutenir longtemps le poids de l'amitié : l'antiquité en a fourni des exemples; mais dans le temps où nous vivons, on peut dire qu'il est encore moins impossible de trouver un véritable amour qu'une véritable amitié.

19. De la retraite.

Je m'engagerais à un trop long discours si je rapportais ici, en particulier, toutes les raisons naturelles qui portent les vieilles gens à se retirer du commerce du monde : le changement de leur humeur, de leur figure, et l'affaiblissement des organes, les conduisent insensiblement, comme la plupart des autres animaux, à s'éloigner de la fréquentation de leurs semblables. L'orgueil, qui est inséparable de l'amour-propre, leur tient alors lieu de raison : ils ne peuvent plus être flattés de plusieurs choses qui flattent les autres; l'expérience leur a fait connaître le prix de ce que tous les hommes désirent dans la jeunesse, et l'impossibilité d'en jouir plus longtemps; les diverses voies qui paraissent ouvertes aux jeunes gens pour parvenir aux grandeurs, aux plaisirs, à la réputation et à tout ce qui élève les hommes, leur sont fermées, ou par la fortune, ou par leur conduite, ou par l'envie et l'injustice des autres; le chemin pour y entrer est trop long et trop pénible, quand on s'est une fois égaré; les difficultés leur en paraissent insurmontables, et l'âge ne leur permet plus d'y prétendre. Ils deviennent insensibles à l'amitié, non seulement parce qu'ils n'en ont peut-être jamais trouvé de véritable, mais parce qu'ils ont vu mourir un grand nombre de leurs amis qui n'avaient pas encore eu le temps ni les occasions de manquer à l'amitié, et ils se persuadent aisément qu'ils auraient été plus fidèles que ceux qui leur restent. Ils n'ont plus de part aux premiers biens qui ont d'abord rempli leur imagination; ils n'ont même presque plus de part à la gloire : celle qu'ils ont acquise est déjà flétrie par le temps, et souvent les hommes en perdent plus en vieillissant qu'ils n'en acquièrent. Chaque jour leur ôte une portion d'eux-mêmes; ils n'ont plus assez de vie pour jouir de ce qu'ils ont, et bien moins encore pour arriver à ce qu'ils désirent; ils ne voient plus devant eux que des chagrins, des maladies et de l'abaissement; tout est vu, et rien ne peut avoir pour eux la grâce de la nouveauté; le temps les éloigne imperceptiblement du point de vue d'où il leur convient de voir les objets, et d'où ils doivent être vus. Les plus heureux sont encore soufferts, les autres sont méprisés; le seul bon parti qu'il leur reste, c'est de cacher au monde ce qu'ils ne lui ont peut-être que trop montré. Leur goût, détrompé des désirs inutiles, se tourne alors vers des objets muets et insensibles; les bâtiments, l'agriculture, l'économie, l'étude, toutes ces choses sont soumises à leurs volontés; ils s'en approchent ou s'en éloignent comme il leur plaît; ils sont maîtres de leurs desseins et de leurs occupations; tout ce qu'ils désirent est en leur pouvoir, et s'étant affranchis de la dépendance du monde, ils font tout dépendre d'eux. Les plus sages savent employer à leur salut le temps qu'il leur reste, et n'ayant qu'une si petite part à cette vie, ils se rendent dignes d'une meilleure. Les autres n'ont au moins qu'eux-mêmes pour témoins de leur misère; leurs propres infirmités les amusent; le moindre relâche leur tient lieu de bonheur; la nature, défaillante, et plus sage qu'eux, leur ôte souvent la peine de désirer; enfin ils oublient le monde, qui est si disposé à les oublier; leur vanité même est consolée par leur retraite, et avec beaucoup d'ennuis, d'incertitudes et de faiblesses, tantôt par piété, tantôt par raison, et le plus souvent par accoutumance, ils soutiennent le poids d'une vie insipide et languissante.

L'addition
à « l'Éducation des enfants » de Mme de Sablé.
(Attribuée à La Rochefoucauld.)

Je crois qu'il faut ajouter qu'il n'est pas à propos de leur fournir sans cesse des divertissements. Car outre qu'il est dangereux de les en lasser, il l'est encore plus de nourrir par là l'inapplication et la paresse de l'esprit qui les rend incapables de chercher de l'occupation au dehors et d'en trouver en eux-mêmes, de sorte qu'ayant toujours besoin du secours d'autrui pour former leur goût et leur propre volonté, ils s'engagent enfin dans ces dépendances aveugles qui nous ont causé tant de malheurs. Je passerai même plus avant et je dirai que rien n'est plus nécessaire à quelque personne que ce puisse être qui veut être capable de grandes choses que de s'endurcir contre l'ennui et de s'accoutumer non seulement à l'éviter, mais encore à le souffrir patiemment; la plus grande part des faiblesses et des fautes que l'on fait dans la conduite de la vie viennent de la crainte de s'ennuyer. Combien ruine-t-on d'affaires importantes et dans la paix et dans la guerre parce qu'il faut s'ennuyer pour les faire réussir. Combien de personnes de tous sexes et de toutes les qualités commettent-elles de bassesses et de lâchetés par cette seule crainte, et à quelle honte ne se soumet-on point tous les jours pour demeurer à la cour et à Paris. Rien n'est à mon gré plus petit du Maréchal de Bassompierre que d'avoir mieux aimé hasarder de passer le reste de sa vie en prison que d'en sortir au bout de douze ans pour aller à la campagne où il appréhendait de manquer de divertissement, et au contraire rien n'est plus beau du cardinal de Retz que d'avoir pu supporter l'obscurité de sa retraite depuis le temps qu'elle dure. On est bien heureux d'avoir en soi un remède assuré contre l'exil et la persécution et je ne puis comprendre qu'après tant d'exemples on n'aime pas mieux se rendre maître de son repos et de son honneur que d'en laisser la disposition, s'il faut ainsi dire, à ceux qui gouvernent, à qui le plus souvent on ne voudrait pas confier le moindre de ses intérêts.

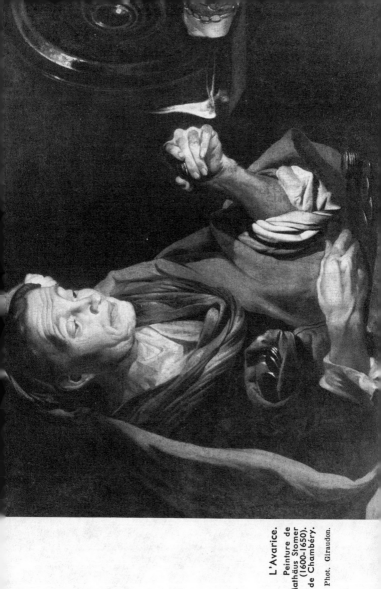

L'Avarice.
Peinture de
Mathäus Stomer
(1600-1650).
Musée de Chambéry.

Phot. Giraudon.

DOCUMENTATION THÉMATIQUE

réunie par la Rédaction des Nouveaux Classiques Larousse

Le *Discours sur les « Maximes »*

LE DISCOURS SUR LES « MAXIMES »

La Chapelle-Bessé écrivit le *Discours sur les « Maximes »* pour aider à leur lancement; il fut aidé par La Rochefoucauld, qui lui fit parvenir, notamment par les bons offices du père Thomas Esprit, des indications utiles. Le *Discours* parut avec la première édition des *Maximes* mais disparut ensuite à l'instigation de La Rochefoucauld.

MONSIEUR,

Je ne saurais vous dire au vrai si les RÉFLEXIONS MORALES sont de M*** quoiqu'elles soient écrites d'une manière qui semble approcher de la sienne; mais en ces occasions-là, je me méfie presque toujours de l'opinion publique, et c'est assez qu'elle lui en ai fait présent, pour me donner une juste raison de n'en rien croire. Voilà, de bonne foi, tout ce que je vous puis répondre sur la première chose que vous me demandez; et pour l'autre, si vous n'aviez bien du pouvoir sur moi, vous n'en auriez guère plus de contentement; car un homme prévenu, au point que je le suis, d'estime pour cet ouvrage, n'a pas toute la liberté qu'il faut pour en bien juger. Néanmoins, puisque vous me l'ordonnez, je vous en dirai mon avis, sans vouloir m'ériger autrement en faiseur de dissertations, et sans y mêler aucunement l'intérêt de celui qu'on croit avoir fait cet écrit.

Il est aisé de voir d'abord qu'il n'était pas destiné pour paraître au jour, mais seulement pour la satisfaction d'une personne qui, à mon avis, n'aspire pas à la gloire d'être auteur, et si, par hasard, c'était M***, je puis vous dire que sa réputation est établie dans le monde par tant de meilleurs titres, qu'il n'aurait pas moins de chagrin de savoir que ces RÉFLEXIONS sont devenues publiques, qu'il en eut lorsque les MÉMOIRES qu'on lui attribue furent imprimés. Mais vous savez, Monsieur, l'empressement qu'il y a dans le siècle pour publier toutes les nouveautés, et s'il y a moyen de l'empêcher quand on le voudrait, surtout celles qui courent sous des noms qui les rendent recommandables. Il n'y a rien de plus vrai, Monsieur; les noms font valoir les choses auprès de ceux qui n'en sauraient connaître le véritable prix : celui des RÉFLEXIONS est connu de peu de gens, quoique plusieurs se soient mêlés d'en dire leur avis. Pour moi, je ne me pique pas d'être assez délicat et assez habile pour en bien juger; je dis habile et délicat, parce que je tiens qu'il faut être pour cela l'un et l'autre; et quand je me pourrais flatter de l'être, je m'imagine que j'y trouverais peu de chose à changer. J'y rencontre partout de la force et de la pénétration, des pensées élevées et hardies, le tour de l'expression noble, et accompagné d'un certain air de qualité qui n'appartient pas à tous ceux qui se mêlent d'écrire. Je demeure d'accord qu'on n'y trouvera pas tout l'ordre ni tout l'art que l'on y pourrait souhaiter, et qu'un savant qui aurait un plus grand loisir y aurait pu mettre plus d'arrangement ; mais un homme qui n'écrit que pour soi et pour délasser son esprit, qui écrit les choses à mesure qu'elles lui viennent dans la pensée, n'affecte pas tant de suivre les règles que celui qui écrit de profession, qui s'en fait une affaire, et qui songe à s'en faire honneur. Ce désordre, néanmoins, a ses grâces, et des grâces que l'art ne peut imiter. Je ne sais pas si vous êtes de mon goût, mais quand les savants m'en devraient vouloir du mal, je ne puis m'empêcher de dire que je préférerai toute ma vie la manière d'écrire négligée d'un courtisan qui a de l'esprit à la régularité gênée d'un docteur qui n'a jamais rien vu que ses livres. « Plus ce qu'il dit et ce qu'il écrit paraît aisé, et dans un certain air d'homme qui se néglige, plus cette négligence, qui cache l'art sous une expression simple et naturelle, lui donne de l'agrément. » C'est de Tacite que je tiens ceci ; je vous mets à la marge le passage latin, que vous lirez si vous en avez envie, et j'en userai de même de tous ceux dont je me souviendrai, n'étant pas assuré si vous aimez cette langue, qui n'entre guère dans le commerce du grand monde, quoique je sache que vous l'entendez parfaitement.

N'est-il pas vrai, Monsieur, que cette justesse, recherchée avec trop d'étude, a toujours un je ne sais quoi de contraint qui donne du dégoût, et qu'on ne trouve jamais dans les ouvrages de ces gens esclaves des règles ces beautés où l'art se déguise sous les apparences du naturel, ce don d'écrire facilement et noblement, enfin ce que le Tasse a dit du palais d'Armide :

> Stimi (si misto il culto è col negletto)
> Sol naturali gli ornamenti e i siti.
> Di natura arte par, che per diletto
> L'imitatrice sua scherzando imiti.
> Tasso, cant. 17.

Voilà comme un poète français l'a pensé après lui :

> L'artifice n'a point de part
> Dans cette admirable structure ;
> La nature, en formant tous les traits du hasard,
> Sait si bien imiter la justesse de l'art,
> Que l'œil, trompé d'une douce imposture,
> Croit que c'est l'art qui suit l'ordre de la nature.

Voilà ce que je pense de l'ouvrage en général. Mais je vois bien que ce n'est pas assez pour vous satisfaire, et que vous voulez que je réponde plus précisément aux difficultés que vous me dites qu'on vous a faites. Il me semble que la première est celle-ci :

QUE LES RÉFLEXIONS DÉTRUISENT TOUTES LES VER-
TUS. On peut dire à cela que l'intention de celui qui les a écrites
paraît fort éloignée de les vouloir détruire : il prétend seulement
faire voir qu'il n'y en a presque point de pures dans le monde,
et que, dans la plupart de nos actions, il y a un mélange d'erreur
et de vérité, de perfection et d'imperfection, de vice et de vertu ;
il regarde le cœur de l'homme corrompu, attaqué de l'orgueil et
de l'amour-propre, et environné de mauvais exemples, comme le
commandant d'une ville assiégée à qui l'argent a manqué : il a
fait de la monnaie de cuir et de carton ; cette monnaie a la figure
de la bonne, on la débite pour le même prix, mais ce n'est que la
misère et le besoin qui lui donnent cours parmi les assiégés. De
même la plupart des actions des hommes que le monde prend
pour des vertus n'en ont bien souvent que l'image et la ressemblance ; elles ne laissent pas néanmoins d'avoir leur mérite, et
d'être dignes, en quelque sorte, de notre estime, étant très difficile
d'en avoir humainement de meilleures. Mais quand il serait vrai
qu'il croirait qu'il n'y en aurait aucune de véritable dans l'homme,
en le considérant dans un état purement naturel, il ne serait pas le
premier qui aurait eu cette opinion. Si je ne craignais pas de
m'ériger trop en docteur, je vous citerais bien des auteurs, et
même des Pères de l'Église et de grands saints, qui ont pensé que
l'amour-propre et l'orgueil étaient l'âme des plus belles actions
des païens ; je vous ferais voir que quelques-uns d'entre eux n'ont
pas même pardonné à la chasteté de Lucrèce que tout le monde
avait crue vertueuse, jusqu'à ce qu'ils eussent découvert la fausseté
de cette vertu qui avait produit la liberté de Rome, et qui s'était
attiré l'attention de tant de siècles. Pensez-vous, Monsieur, que
Sénèque, qui faisait aller son sage de pair avec les Dieux, fût
véritablement sage lui-même, et qu'il fût bien persuadé de ce
qu'il voulait persuader aux autres ? Son orgueil n'a pu l'empêcher
de dire quelquefois qu'on n'avait point vu dans le monde d'exemple de l'idée qu'il se proposait, qu'il était impossible de trouver
une vertu si achevée parmi les hommes, et que le plus parfait
d'entre eux était celui qui avait le moins de défauts. Il demeure
d'accord que l'on peut reprocher à Socrate d'avoir eu quelques
amitiés suspectes, à Platon et Aristote d'avoir été avares ; à Épi-
cure prodigue et voluptueux ; mais il s'écrie en même temps
que nous serions trop heureux d'être parvenus à savoir imiter
leurs vices. Ce philosophe aurait eu raison d'en dire autant des
siens ; car on ne serait pas trop malheureux de pouvoir jouir,
comme il l'a fait, de toute sorte de biens, d'honneurs et de plaisirs, en affectant de les mépriser ; de se voir le maître de l'Empire
et de l'Empereur, et l'amant de l'impératrice en même temps ;
d'avoir de superbes palais, des jardins délicieux, et de prêcher
aussi à son aise qu'il faisait la modération et la pauvreté, au milieu
de l'abondance et des richesses. Pensez-vous, Monsieur, que ce

stoïcien, qui contrefaisait si bien le maître des passions, eut d'autre vertu que celle de bien cacher ses vices, et qu'en se faisant couper les veines, il ne se repentit pas plus d'une fois d'avoir laissé à son disciple le pouvoir de le faire mourir ? Regardez un peu de près ce faux brave : vous verrez qu'en faisant de beaux raisonnements sur l'immortalité de l'âme, il cherche à s'étourdir sur la crainte de la mort; il ramasse toutes ses forces pour faire bonne mine; il se mord la langue de peur de dire que la douleur est un mal; il prétend que la raison peut rendre l'homme impassible et, au lieu d'abaisser son orgueil, il le relève au-dessus de la divinité. Il nous aurait bien plus obligés de nous avouer franchement les faiblesses et la corruption du cœur humain, que de prendre tant de peine à nous tromper. L'auteur des RÉFLEXIONS n'en fait pas de même; il expose au jour toutes les misères de l'homme, mais c'est de l'homme abandonné à sa conduite qu'il parle, et non pas du chrétien; il fait voir que, malgré tous les efforts de sa raison, l'orgueil et l'amour-propre ne laissent pas de se cacher dans les replis de son cœur, d'y vivre et d'y conserver assez de force pour répandre leur venin, sans qu'il s'en aperçoive, dans la plupart de ses mouvements.

La seconde difficulté que l'on vous a faite, et qui a beaucoup de rapport à la première, est que les RÉFLEXIONS passent dans le monde pour des subtilités d'un censeur qui prend en mauvaise part les actions les plus indifférentes, plutôt que pour des vérités solides. Vous me dites que quelques-uns de vos amis vous ont assuré de bonne foi qu'ils savaient, par leur propre expérience, que l'on fait quelquefois le bien sans avoir d'autre vue que celle du bien, et souvent même sans en avoir aucune, ni pour le bien, ni pour le mal, mais par une droiture naturelle du cœur qui le porte, sans y penser, vers ce qui est bon. Je voudrais qu'il me fût permis de croire ces gens-là sur leur parole, et qu'il fût vrai que la nature humaine n'eût que des mouvements raisonnables, et que toutes nos actions fussent naturellement vertueuses; mais, Monsieur, comment accorderons-nous le témoignage de vos amis avec les sentiments des mêmes Pères de l'Église, qui ont assuré que toutes nos vertus, sans le secours de la foi, n'étaient que des imperfections; que notre volonté était née aveugle; que ses désirs étaient aveugles, sa conduite encore plus aveugle, et qu'il ne fallait pas s'étonner si, parmi tant d'aveuglement, l'homme était pris dans un égarement continuel ? Ils en ont parlé encore plus fortement, car ils ont dit qu'en cet état, la prudence de l'homme ne pénétrait dans l'avenir et n'ordonnait rien que par rapport à l'orgueil; que sa tempérance ne modérait aucun excès que celui que l'orgueil avait condamné; que sa constance ne se soutenait dans les malheurs qu'autant qu'elle était soutenue par l'orgueil; et enfin que toutes ses vertus, avec cet éclat extérieur de mérite qui les faisait admirer, n'avaient pour but que cette admiration, l'amour d'une vaine gloire et l'intérêt de l'orgueil. On trouverait un nombre presque infini d'autorités sur cette opinion; mais si je m'engageais à vous les citer régulièrement, j'en aurais un peu plus de peine, et vous n'en auriez pas plus de plaisir. Je pense donc que le meilleur, pour vous et pour moi, sera de vous en faire voir l'abrégé dans six vers d'un excellent poète de notre temps :

> Si le jour de la foi n'éclaire la raison
> Notre goût dépravé tourne tout en poison;
> Toujours de notre orgueil la subtile imposture
> Au bien qu'il semble aimer fait changer de nature;
> Et dans le propre amour dont l'homme est revêtu,
> Il se rend criminel, même par sa vertu.
>
> Brébeuf, *Entretiens solitaires.*

S'il faut néanmoins demeurer d'accord que vos amis ont le don de cette foi vive qui redresse toutes les mauvaises inclinations de l'amour-propre, si Dieu leur fait des grâces extraordinaires, s'il les sanctifie dès ce monde, je souscris de bon cœur à leur canonisation, et je leur déclare que les RÉFLEXIONS MORALES ne les regardent pas. Il n'y a pas apparence que celui qui les a écrites en veuille à la vertu des saints; il ne s'adresse, comme je vous ai dit, qu'à l'homme corrompu; il soutient qu'il fait presque toujours le mal quand son amour-propre le flatte qu'il fait le bien, et qu'il se trompe souvent lorsqu'il veut en juger de lui-même, parce que la nature ne se déclare pas sincèrement en lui des motifs qui le font agir. Dans cet état malheureux où l'orgueil est l'âme de ses mouvements, les saints mêmes sont les premiers à lui déclarer la guerre, et le traitent plus mal, sans comparaison, que ne le fait l'auteur des RÉFLEXIONS. S'il vous prend quelque jour envie de voir les passages que j'ai trouvés dans leurs écrits sur ce sujet, vous serez aussi persuadé que je le suis de cette vérité; mais je vous supplie de vous contenter à présent de ces vers, qui vous expliqueront une partie de ce qu'ils ont pensé :

> Le désir des honneurs, des biens et des délices,
> Produit seul les vertus, comme il produit les vices,
> Et l'aveugle intérêt qui règne dans son cœur,
> Va d'objet en objet, et d'erreur en erreur;
> Le nombre de ses maux s'accroît par leur remède;
> Au mal qui se guérit un autre mal succède;
> Au gré de ce tyran dont l'empire est caché,
> Un péché se détruit par un autre péché.
>
> Brébeuf, *Entretiens solitaires.*

Montaigne, que j'ai quelque scrupule de vous citer après des Pères de l'Église, dit assez heureusement sur ce même sujet : que son âme a deux visages différents; qu'elle a beau se replier sur elle-même, elle n'aperçoit jamais que celui que l'amour-propre a déguisé, pendant que l'autre se découvre par ceux qui n'ont point de part à ce déguisement. Si j'osais enchérir sur une métaphore si hardie, je dirais que l'homme corrompu est fait comme ces médailles qui représentent la figure d'un saint et d'un démon dans une seule face et par les mêmes traits; il n'y a que la diverse situation de ceux qui la regardent qui change l'objet; l'un voit le saint, et l'autre voit le démon. Ces comparaisons nous font assez comprendre que, quand l'amour-propre a séduit le cœur, l'orgueil aveugle tellement la raison et répand tant d'obscurité dans toutes ses connaissances, qu'elle ne peut juger du moindre de nos mouvements, ni former d'elle-même aucun discours assuré pour notre conduite. Les hommes, dit Horace, sont sur la terre comme une troupe de voyageurs que la nuit a surpris en passant dans une forêt; ils marchent sur la foi d'un guide qui les égare aussitôt, ou par malice, ou par ignorance; chacun d'eux se met en peine de retrouver le chemin; ils prennent tous diverses routes, et chacun croit suivre la bonne; plus il le croit, et plus il s'en écarte. Mais quoique leurs égarements soient différents, ils n'ont pourtant qu'une même cause : c'est le guide qui les a trompés, et l'obscurité de la nuit qui les empêche de se redresser. Peut-on mieux dépeindre l'aveuglement et les inquiétudes de l'homme abandonné à sa propre conduite, qui n'écoute que les conseils de son orgueil, qui croit aller naturellement droit au bien, et qui s'imagine toujours que le dernier qu'il recherche est le meilleur ? N'est-il pas vrai que, dans le temps qu'il se flatte de faire des actions vertueuses, c'est alors que l'égarement de son cœur est le plus dangereux ? Il y a un si grand nombre de roues qui composent le mouvement de cette horloge, et le principe en est si caché, qu'encore que nous voyons ce que marque la montre, nous ne savons pas quel est le ressort qui conduit l'aiguille sur toutes les heures du cadran.

La troisième difficulté que j'ai à résoudre est que beaucoup de personnes trouvent de l'obscurité dans le sens et dans l'expression de ces RÉFLEXIONS. L'obscurité, comme vous savez, Monsieur, ne vient pas toujours de la faute de celui qui écrit. Les RÉFLEXIONS, ou si vous voulez les MAXIMES et les SENTENCES, comme le monde a nommé celles-ci, doivent être écrites dans un style serré qui ne permet pas de donner aux choses toute la clarté qui serait à désirer. Ce sont les premiers traits du tableau : les yeux habiles y remarquent bien toute la finesse de l'art et la beauté de la pensée du peintre; mais cette beauté n'est pas faite pour tout le monde, et quoique ces traits ne soient point remplis de couleurs, ils n'en sont pas moins des coups de maître Il faut donc se donner le loisir de pénétrer le sens et la force des paroles, il faut que l'esprit parcoure toute l'étendue de leur

signification avant que de se reposer, pour en former le jugement.

La quatrième difficulté est, ce me semble, que les MAXIMES sont
presque partout trop générales; on vous a dit qu'il est injuste
d'étendre sur tout le genre humain des défauts qui ne se trouvent
qu'en quelques hommes. Je sais, outre ce que vous me mandez
des différents sentiments que vous en avez entendus, ce que l'on
oppose d'ordinaire à ceux qui découvrent ou qui condamnent
les vices : on appelle leur censure le portrait du peintre; on dit
qu'ils sont comme les malades de la jaunisse, qu'ils voient tout
en jaune parce qu'ils le sont eux-mêmes. Mais s'il était vrai que,
pour censurer la corruption du cœur en général, il fallût la res-
sentir en particulier plus qu'un autre, il faudrait aussi demeurer
d'accord que ces philosophes, dont Diogène de Laërce nous
rapporte les sentences, étaient les hommes les plus corrompus
de leur siècle; il faudrait faire le procès de la mémoire de Caton,
et croire que c'était le plus méchant homme de la République,
parce qu'il censurait les vices de Rome. Si cela est, Monsieur,
je ne pense pas que l'auteur des RÉFLEXIONS, quel qu'il puisse
être, trouve rien à redire au chagrin de ceux qui le condamneront
quand, à la religion près, on ne le croira pas plus homme de bien,
ni plus sage que Caton. Je dirai encore, pour ce qui regarde les
termes que l'on trouve trop généraux, qu'il est difficile de les
restreindre dans les sentences sans leur ôter tout le sel et toute la
force; il me semble, outre cela, que l'usage nous fait voir que,
sous des expressions générales, l'esprit ne laisse pas de sous-
entendre de lui-même des restrictions. Par exemple, quand on
dit : « Tout Paris fut au-devant du Roi; toute la Cour est dans
la joie », ces façons de parler ne signifient néanmoins que la plus
grande partie. Si vous croyez que ces raisons ne suffisent pas
pour fermer la bouche aux critiques, ajoutons-y que, quand on
se scandalise si aisément des termes d'une censure générale,
c'est à cause qu'elle nous pique trop vivement dans l'endroit
le plus sensible du cœur.

Néanmoins, il est certain que nous connaissons, vous et moi, bien
des gens qui ne se scandalisent pas de celle des RÉFLEXIONS,
j'entends de ceux qui ont l'hypocrisie en aversion, et qui avouent
de bonne foi ce qu'ils sentent en eux-mêmes et ce qu'ils
remarquent dans les autres. Mais peu de gens sont capables d'y
penser, ou s'en veulent donner la peine, et si, par hasard, ils y
pensent, ce n'est jamais sans se flatter.

Souvenez-vous, s'il vous plaît, de la manière dont notre ami
Guarini traite ces gens-là [235] :

---

235. Citation approximative du *Pastor Fido* (I, VII) de Guarini « Je suis homme,
et suis fier de l'être; je te parle, à toi qui es un homme, ou qui du moins devrais
l'être, de chose humaine; et si tu dédaignes ce titre, prends garde, homme superbe,
en reniant l'humanité, de devenir une bête féroce plutôt qu'un dieu. »

> Huomo sono, e mi preggio d'esser humano;
>> E teco, che sei Huomo,
>> E ch'altro esser non puoi,
> Come huomo parlo di cosa humana,
> E se di cotal nome forse ti sdegni,
>> Guarda, garzon superbo,
>> Che, nel dishumanarti,
> Non divenghi una fiera, anzi ch'un dio.

Voilà, Monsieur, comme il faut parler de l'orgueil de la nature humaine; et au lieu de se fâcher contre le miroir qui nous fait voir nos défauts, au lieu de savoir mauvais gré à ceux qui nous les découvrent, ne vaudrait-il pas mieux nous servir des lumières qu'ils nous donnent pour connaître l'amour-propre et l'orgueil, et pour nous garantir des surprises continuelles qu'ils font à notre raison? Peut-on jamais donner assez d'aversion pour ces deux vices, qui furent les causes funestes de la révolte de notre premier père, ni trop décrier les sources malheureuses de toutes nos misères?

Que les autres prennent donc comme ils voudront les RÉFLEXIONS MORALES : pour moi, je les considère comme la peinture ingénieuse de toutes les singeries du faux sage. Il me semble que, dans chaque trait, l'amour de la vérité lui ôte le masque et le montre tel qu'il est. Je les regarde comme les leçons d'un maître qui entend parfaitement l'art de connaître les hommes, qui démêle admirablement bien tous les rôles qu'ils jouent dans le monde, et qui, non seulement nous fait prendre garde aux différents personnages du théâtre, mais encore qui nous fait voir, en levant un coin du rideau, que cet amant et ce roi de comédie sont les mêmes acteurs qui font le docteur et le bouffon dans la farce. Je vous avoue que je n'ai rien lu de notre temps qui m'ait donné plus de mépris pour l'homme et plus de honte à ma propre vanité. Je pense toujours trouver, à l'ouverture du livre, quelque ressemblance aux mouvements secrets de mon cœur; je me tâte moi-même pour examiner s'il dit vrai, et je trouve qu'il le dit presque toujours, et de moi et des autres, plus qu'on ne voudrait. D'abord, j'en ai quelque dépit; je rougis quelquefois de voir qu'il ait deviné; mais je sens bien, à force de le lire, que, si je n'apprends à devenir plus sage, j'apprends au moins à connaître que je ne le suis pas; j'apprends enfin, par l'opinion qu'il me donne de moi-même, à ne me répandre pas sottement dans l'admiration de toutes ces vertus dont l'éclat nous saute aux yeux. Les hypocrites passent mal leur temps à la lecture d'un livre comme celui-là; défiez-vous donc, Monsieur, de ceux qui vous en diront du mal, et soyez assuré qu'ils n'en disent pas parce qu'ils sont au désespoir de voir révéler des mystères qu'ils voudraient pouvoir cacher toute leur vie aux autres et à eux-mêmes. [...]

JUGEMENTS SUR LES « MAXIMES »

XVIIᵉ SIÈCLE

Les contemporains de La Rochefoucauld distinguent, dans leurs jugements, le fond et la forme : tandis qu'ils se disent choqués sur le plan moral, ils louent habituellement la perfection du style.

Ce que j'en ai vu me paraît plus fondé sur l'humeur de l'auteur que sur la vérité, car il ne croit point de libéralité sans intérêt, ni de pitié; c'est qu'il juge tout le monde par lui-même. Pour le plus grand nombre, il a raison; mais assurément il y a des gens qui ne désirent autre chose que de faire du bien.

Princesse de Guymené,
Lettre à Mᵐᵉ de Sablé (1663).

Je crus bien tout le jour vous pouvoir renvoyer vos *Maximes*, mais il me fut impossible d'en trouver le temps. Je voulais vous écrire et m'étendre sur leur sujet. Je ne puis que vous dire mon sentiment en détail : tout ce qui me paraît en général, c'est qu'il y a en cet ouvrage beaucoup d'esprit, peu de bonté et force vérités que j'aurais ignorées toute ma vie, si l'on ne m'en avait fait apercevoir. Je ne suis pas encore parvenue à cette habileté d'esprit où l'on ne connaît dans le monde ni honneur, ni bonté, ni probité. Je croyais qu'il y en pouvait avoir. Cependant, après la lecture de cet écrit, l'on demeure persuadé qu'il n'y a ni vertu ni vice à rien et que l'on fait nécessairement toutes les actions de la vie. S'il en est ainsi que nous ne puissions empêcher de faire tout ce que nous décrions, nous sommes excusables, et vous jugez de combien ces *Maximes* sont dangereuses. Je trouve encore que cela n'est pas bien écrit en français, c'est-à-dire que ce sont des phrases et des manières de parler qui sont plutôt d'un homme de cour que d'un auteur. Cela ne me déplaît pas, et ce que je vous en puis dire de plus vrai est que je les entends toutes comme si je les avais faites, quoique bien des gens y trouvent de l'obscurité en certains endroits. Il y en a qui me charment comme : « L'esprit est toujours la dupe du cœur [...]. » Il y en a une qui me paraît bien véritable : c'est celle qui dit que « la félicité est dans le goût et non dans les choses [...] ». Et celle-ci : « Que chacun se fait un extérieur et une mine [...]. Le monde est en mascarade et mieux déguisé qu'à celle du Louvre, car l'on n'y reconnaît personne [...]. » Voici de ces phrases nouvelles : « La nature fait le mérite et la fortune le met en œuvre. » Ces modes de parler me plaisent, parce que cela distingue bien un honnête homme qui écrit pour son plaisir [...] d'avec les gens qui en font un métier. Mais je ne sais si cela réussira imprimé, comme en manuscrit. Si j'étais du conseil de l'auteur, je ne mettrais point au jour ces mystères qui ôtent à tout jamais la confiance qu'on pourrait prendre en lui : il en sait tant là-dessus et il paraît si fin, qu'il ne peut plus mettre en usage cette souveraine habileté qui est de ne paraître point en avoir.

Mme de Schomberg,
Lettre à Mme de Sablé (vers 1664).

Une personne de grande qualité et de grand mérite passe pour être auteur de ces *Maximes*; mais quelques lumières et quelque discernement qu'il ait fait paraître dans cet ouvrage, il n'a pas empêché que l'on n'en ait fait des jugements bien différents. L'on peut dire néanmoins que ce traité est fort utile, parce qu'il découvre aux hommes les fausses idées qu'ils ont d'eux-mêmes; qu'il leur fait voir que, sans le christianisme, ils sont incapables de faire aucun bien qui ne soit mêlé d'imperfection, et que rien n'est plus avantageux que de se connaître tel que l'on est en effet, afin de n'être plus trompé par la fausse connaissance que l'on a toujours de soi-même.

Il y a tant d'esprit dans cet ouvrage, et une si grande pénétration pour démêler la variété des sentiments du cœur de l'homme, que toutes les personnes judicieuses y trouveront une infinité de choses fort utiles, qu'elles auraient peut-être ignorées toute leur vie, si l'auteur des *Maximes* ne les avait tirées du chaos, pour les mettre dans un jour où quasi tout le monde les peut voir et les peut comprendre sans peine[240].

Le Journal des savants
(9 mars 1665).

Faites, je vous prie, mes compliments à M. de La Rochefoucauld, et dites-lui que le Livre de Job et le livre des *Maximes* sont mes seules lectures.

Mme de Maintenon,
Lettre à Mlle de Lenclos (mars 1666, après la 1re édition).

On voit bien où j'en veux venir.
Je parle à tous; et cette erreur extrême
Est un mal que chacun se plaît d'entretenir.
Notre âme, c'est cet homme amoureux de lui-même :
Tant de miroirs, ce sont les sottises d'autrui,
Miroirs, de nos défauts les peintres légitimes :

---

240. Ce texte, sorte de prière d'insérer, fut amputé de ce paragraphe par La Rochefoucauld : « Les uns croient que c'est outrager les hommes que d'en faire une si terrible peinture, et que l'auteur n'en a pu prendre l'original qu'en lui-même; ils disent qu'il est dangereux de mettre de telles pensées au jour, et qu'ayant si bien montré qu'on ne fait jamais de bonnes actions que par de mauvais principes, on ne se mettra plus en peine de chercher la vertu, puisqu'il est impossible de l'avoir, si ce n'est en idée. »

Et quant au canal, c'est celui
Que chacun sait : le livre des *Maximes*.

La Fontaine,
« l'Homme et son image » (dédié à La Rochefoucauld),
Fables, I, XI (1668).

Je vous renvoie vos *Maximes*, Monsieur, en vous rendant mille et mille grâces très humbles. Je ne les louerai point comme elles méritent d'être louées, parce que je les trouve trop au-dessus de mes louanges. Elles ont un sens si juste et si délicat, quoiqu'il soit quelquefois un peu détourné, qu'il ne faudrait pas moins de délicatesse pour vous dire ce qu'on en pense, qu'il vous en a fallu pour les faire. Vous avez une lumière si vive pour pénétrer le cœur de tous les hommes qu'il semble qu'il n'appartienne qu'à vous de donner un jugement équitable sur le mérite ou le démérite de tous ses mouvements, avec cette différence pourtant, qu'il me semble, Monsieur, que vous avez encore mieux pénétré celui des hommes que celui des femmes; car je ne puis, malgré la déférence que j'ai pour vos lumières, m'empêcher de m'opposer un peu à ce que vous dites, que leur tempérament fait toute leur vertu [...].

Mme de Rohan,
Lettre à La Rochefoucauld (1674).

L'autre (les *Maximes*), qui est la production d'un esprit instruit par le commerce du monde, et dont la délicatesse était égale à la pénétration, observant que l'amour-propre est dans l'homme la cause de tous ses faibles, l'attaque sans relâche, quelque part où il le trouve; et cette unique pensée, comme multipliée en mille autres, a toujours, par le choix des mots et la variété de l'expression, la grâce de la nouveauté [...].

— Ce ne sont point des maximes que j'ai voulu écrire; elles sont comme des lois dans la morale, et j'avoue que je n'ai ni assez d'autorité ni assez de génie pour faire le législateur [...].

La Bruyère,
Discours sur Théophraste et Préface (1688).

Mme de La Fayette avait communiqué les Maximes *à Huet, évêque d'Avranches, pour savoir ce qu'il en pensait :*

Quoiqu'elle me parût prévenue d'une grande admiration pour le mérite d'un ouvrage qui entrait si intimement dans le fond et dans les replis du cœur humain, et en découvrait les plus secrets mouvements déguisés par notre amour-propre et exprimait ses découvertes par des tours nouveaux et polis, je ne lui déguisai point mon sentiment, et je lui dis nettement que la plupart de ces maximes me paraissaient entièrement fausses, jusqu'au titre même de *Maximes* qu'on leur avait donné. Que l'on n'appelait *maximes* que des vérités connues par la lumière naturelle, et reçues universellement de tout le monde; au lieu que les propositions contenues dans cet ouvrage étaient nouvelles, peu connues, et découvertes par la méditation et les réflexions d'un esprit pénétrant et clairvoyant. Qu'au lieu de les qualifier *Maximes*, il eût été bien plus convenable de les appeler *Réflexions morales*. La suite me fit voir que mon avis avait été goûté, car les nouvelles copies ne parurent que sous ce titre[241]. J'ajoutai que la plupart des propositions en détail ne me paraissaient pas plus véritables que le titre; que quand on attribuait à l'homme en général tous ces sentiments secrets, cet extérieur fardé, ces inclinations dépravées et cette perversité, cela ne se pouvait entendre que de la nature humaine considérée en elle-même; ce qui, en ce sens, est très éloigné de la vérité que l'homme de sa nature était droit, juste et vertueux; que sa raison même et sa lumière naturelle, le portaient au bien et l'éloignaient du mal; que quand il se laissait corrompre par le vice, il sortait de son naturel, il tombait dans l'aveuglement, quittait son chemin et s'égarait, de sorte que tout ce dérèglement, que M. de La Rochefoucauld croit avoir découvert en l'homme, est *les vices de l'homme corrompu et perverti, et pour ainsi dire déshumanisé, mais non pas de l'homme dans sa pure nature, se maintenant dans son véritable état et véritablement homme.*

De plus, cette recherche même des défauts de l'homme corrompu, que l'auteur a faite avec tant de sagacité, n'est pas faite avec assez d'équité; *il ne fait pas toujours justice à cet homme qu'il condamne, et il le veut faire passer pour plus corrompu qu'il n'est,* interprétant avec beaucoup de prévention et un peu de malignité, et tournant en mauvaise part des inclinations et des actions innocentes. Il ne songe pas qu'il y a divers degrés de corruption dans l'homme corrompu, que *Nemo repente fit turpissimus*[242] et, suivant les faux paradoxe des stoïciens, qu'un homme coupable d'un seul péché, et entaché d'un vice, est coupable de tous, il ne fait nulle distinction entre les crimes les plus atroces; entre les hommes pécheurs par fragilité et par faiblesse, et les scélérats même les plus endurcis.

Enfin, il paraît que l'Auteur impute souvent un vice à l'homme, non pas tant parce qu'il l'aperçoit véritablement en lui, que pour ne pas perdre une expression élégante, ingénieuse et nouvelle, qu'il a trouvée pour former son accusation et s'énoncer. Et si l'on observe cet ouvrage de près, on trouvera dans plusieurs articles que l'expression n'a pas été inventée pour l'accusation, mais que l'accusation a été inventée pour y faire entrer l'expression.

---

241. C'est inexact; 242. « Nul ne devient très méchant d'un seul coup. »

XVIII *SIÈCLE*

Le duc de La Rochefoucauld a admirablement saisi le côté faible de l'esprit humain; peut-être n'en a-t-il pas ignoré la force; peut-être n'a-t-il contesté le mérite de tant d'actions éblouissantes que pour démasquer la fausse sagesse. Quelles qu'aient été ses intentions, l'effet m'en paraît pernicieux; son livre, rempli d'invectives délicates contre l'hypocrisie, détourne encore aujourd'hui les hommes de la vertu en leur persuadant qu'il n'y en a point de véritable. Cet illustre auteur mérite, d'ailleurs, de grandes louanges pour avoir été, en quelque sorte, *l'inventeur du genre qu'il a choisi*. J'ose dire que *cette manière hardie d'exprimer, brièvement et sans liaison, de grandes pensées* a quelque chose de bien élevé. Les esprits timides ne sont pas capables de passer ainsi, sans gradation et sans milieu, d'une idée à une autre; l'auteur des *Maximes* les étonne par les grandes démarches de son jugement.

Vauvenargues,
Critique de quelques maximes du duc de La Rochefoucauld.

Un des ouvrages qui contribuèrent le plus à former le goût de la nation et à lui donner un esprit de justesse et de précision, fut le petit recueil des *Maximes* de François, duc de La Rochefoucauld. Quoiqu'il n'y ait presque qu'une vérité dans ce livre, qui est que l'amour-propre est le mobile de tout, cependant cette pensée se présente sous tant d'aspects variés qu'elle est presque toujours piquante. C'est moins un livre que des matériaux pour orner un livre. On le lit avidement; il accoutuma à penser et à renfermer ses pensées dans un tour vif, précis et délicat. C'était un mérite que personne n'avait avant lui en Europe, depuis la renaissance des lettres.

Voltaire,
le Siècle de Louis XIV (XXXII) [1751].

Les *Maximes* de M. de La Rochefoucauld sont les proverbes des gens d'esprit.

Montesquieu,
Cahiers.

Si vous lisez le matin quelques maximes de La Rochefoucauld, considérez-les, examinez-les bien, et comparez-les avec les originaux que vous trouverez le soir.

Lord Chesterfield (1694-1773),
Lettre à mon fils.

M. de La Rochefoucauld est peut-être un peu suspect; il est comme ces médecins qui, dans toutes les maladies, voient celle qu'ils ont le plus particulièrement étudiée; mais enfin, il a des traits de lumière qui pénètrent jusqu'au fond du cœur, et je lui dois en partie de me connaître.

Sénac de Meilhan (1736-1803),
cité par Sainte-Beuve, *Lundis* (t. X, p. 104).

Il y a deux classes de moralistes et de politiques : ceux qui n'ont vu la nature humaine que du côté odieux ou ridicule, et c'est le plus grand nombre : Lucien, Montaigne, La Bruyère, La Rochefoucauld, Swift, Mandeville, Helvétius, etc. Ceux qui ne l'ont vue que du beau côté et dans ses perfections; tels sont Shaftesbury et quelques autres. Les premiers ne connaissent pas le palais dont ils n'ont vu que les latrines. Les seconds sont des enthousiastes qui détournent leurs yeux de ce qui les offense et qui n'en existe pas moins. *Est in medio verum.*

Chamfort,
Maximes.

XIX° SIÈCLE

Je compte que votre écrit sur La Rochefoucauld sera terminé [...]. Allez, allez : cet homme a tout vu dans le cœur de l'homme. On y a peut-être fait jouer d'autres ressorts autrefois, il y a bien longtemps; mais les peuples modernes seront plus longtemps encore comme il les a peints. C'est un vilain tableau d'un vilain modèle, mais il y a de la vérité.

Pariset,
Lettre à Fauriel (1803).

[La Rochefoucauld] n'a rattaché les éléments de son ouvrage à aucun principe général; nul caractère scientifique n'apparaît dans ce travail d'un homme de cour; ce sont, ainsi qu'il convient à un tel homme, des jets de pensée, des sentences ingénieuses et quelquefois profondes, mais brèves et détachées, comme la parole du commandement. Il n'y a pas de principe général dans son ouvrage parce qu'il n'y en eut pas dans sa vie.

Vinet, cité par Brix.

La Rochefoucauld ne fut jamais de Port-Royal, malgré ses relations : il est trop foncièrement philosophe et tient trop bien son explication.

Les *Maximes* de La Rochefoucauld ne contredisent en rien le christianisme : elles s'en passent. L'homme de La Rochefoucauld est exactement l'homme déchu, sinon comme l'entendent François de Sales et Fénelon, du moins comme l'estiment Pascal, Du Guet et Saint-Cyran. Ôtez de la morale janséniste la *rédemption*, et vous avez La Rochefoucauld tout pur. S'il paraît oublier dans l'homme le roi exilé que Pascal relève et les restes brisés du diadème, qu'est-ce donc que cet insatiable orgueil qu'il dénonce, et qui, de ruse ou de force, se sent l'unique souverain? Mais il se borne à en sourire. Et ce n'est pas tout d'être mortifiant, dit M. Vinet, il faut être utile. Le malheur de La Rochefoucauld est de croire que les hommes ne se corrigent pas.

Sainte-Beuve,
Port-Royal (t. V, p. 68) et *Portraits de femmes.*

Aucune idée religieuse ne le guide. Il formule impartialement les lois des faits qu'il a observés [...]. Il nous donne le testament moral et littéraire de la société précieuse. A l'ordinaire, la pensée est solide, exacte : la finesse est dans le discernement et dans la notation des nuances, dans l'appropriation exquise du mot à l'objet, dans la vaste compréhension des brèves formules, qui mettent l'esprit en branle et l'obligent à parcourir un long cercle d'idées inexprimées [...].

A cette date de 1665, contemporaine des *Satires*, antérieure de deux ans à *Andromaque*, de cinq aux *Pensées*, les *Maximes* sont un événement considérable, et par leur fond, et par leur forme. Toutes mondaines d'origine, elles manifestent le pur génie du monde et sa naturelle direction. De la littérature dont on l'amuse, le monde a extrait deux formes qui n'existaient pas isolément, a constitué pour son divertissement deux genres qu'il a rendus ensuite à la littérature : les *Maximes* et les *Portraits*. Or que sont ces genres essentiellement? Ils servent à décrire et à définir. Nulle part mieux que dans la création de ces deux genres l'esprit mondain du XVIIᵉ siècle n'a marqué son identité intime avec le rationalisme scientifique.

G. Lanson,
Histoire de la littérature française (1894).

XXᵉ SIÈCLE

A. Gide évoluera dans son attitude envers La Rochefoucauld comme en témoignent ces deux passages de son Journal :

Le jour où La Rochefoucauld s'avisa de ramener et réduire aux incitations de l'amour-propre les mouvements de notre cœur, je doute s'il fit tant preuve d'une perspicacité singulière, ou plutôt s'il n'arrêta pas l'effort d'une plus indiscrète investigation. Une fois la formule trouvée, l'on s'y tint et, durant deux siècles et plus, on vécut avec cette explication. Le psychologue parut le plus averti, qui se montrait le plus sceptique et qui, devant les gestes les plus nobles, les plus exténuants, savait le mieux dénoncer le ressort secret de l'égoïsme. Grâce à quoi tout ce qu'il y a de contradictoire dans l'âme humaine lui échappe. Et je ne lui reproche pas de dénoncer l'*amour-propre;* je lui reproche parfois de s'en tenir là; je lui reproche de croire qu'il a tout fait, quand il a dénoncé l'amour-propre. Je reproche surtout à ceux qui l'ont suivi de s'en être tenus là.

On trouvera plus de profit à méditer ces phrases de Saint-Évremond [...] : *Plutarque a jugé l'homme trop en gros et ne l'a pas cru si différent qu'il est de lui-même : méchant, vertueux, équitable, injuste, humain et cruel; ce qui lui semble se démentir, il l'attribue à des causes étrangères; etc.*

Feuillets (dans le *Journal*, 1918).

Je relis le livre des *Maximes* avec une admiration des plus vives. Il me paraît que la position que je tâche de prendre à l'égard de La Rochefoucauld ne saurait être maintenue sans injustice. Mon premier tort était de tenter d'assimiler ce qu'il appelle l'amour-propre à l'égoïsme. Malgré tout, les maximes ayant trait à l'amour-propre sont de moindre intérêt que celles qui ne se rattachent à aucune théorie, à aucune thèse, et dont certaines sont de la pénétration la plus singulière, et d'un *tour* qui peut être imité, mais n'appartient qu'à lui; ou du moins, s'il se retrouve dans les salons du siècle, lui le porte à la perfection.

Journal, 30 septembre 1921.

La plupart de ceux qui se flattent d'être connaisseurs du cœur humain ne séparent point la clairvoyance dont ils se piquent d'une disposition défavorable à l'égard des hommes. Ils ont la lèvre amère ou ironique. Rien, il est vrai, ne donne l'air « psychologue » comme l'attitude habituelle de « déprécier ». Voir clair, c'est voir noir, selon cette convention parfois commode.

Par là (chose délicieuse aux amateurs de combinaisons), Beyle se range à la suite des Pères et des Docteurs les moins tendres pour l'homme et des maîtres les plus rigoureux de la théologie morale. La forme et l'intention sont bien différentes, mais le soupçon dans le regard et le désir presque coupable de conclure au pire sont les mêmes. Le pire est la nourriture des tempéraments critiques. Le mal est leur proie. Il leur faut donc qu'il soit la règle. Un « psychologue » à la Stendhal, tout sensualiste qu'il est, a besoin de la mauvaiseté de notre nature. Que deviendraient les hommes d'esprit sans le péché originel ?

Paul Valéry,
Variétés : « Stendhal ».

Un moraliste, La Rochefoucauld ? Nullement. C'est un romancier, le premier en date de nos romanciers. Tout lui vient de l'imagination, de la brusque perception qu'il a d'un sentiment humain par la capture d'un regard ou d'un mot. Chacune de ses maximes est une intrigue découverte. Au lieu de développer l'histoire, il la réduit, lui donne une articulation, l'incline selon son humeur.

Cette humeur est sombre. C'est peut-être qu'il souffre d'avoir à se resserrer ainsi et qu'il y a du raté dans l'écrivain, qui s'ajoute au mécompte du courtisan. C'est aussi que, dans le monde, là où il vit, on ne pénètre un peu profondément les êtres que par les défaillances et les ruptures.

Jacques de Lacretelle,
Histoire de la littérature française.

La table des matières des déguisements de l'amour-propre selon La Rochefoucauld se confond avec la liste des vertus chevaleresques : grandeur éclatante, amour de la gloire, désintéressement, magnanimité ou « modération » dans le succès, loyauté, sincérité, amitié, reconnaissance, fidélité au souvenir, « constance » stoïque, mépris de la mort, vaillance, amour épuré et spirituel [...]. Le sublime aristocratique, essentiellement personnel, reposait sur les victoires éclatantes du moi. Le sublime plus fortement socialisé qui a cours aujourd'hui dans l'opinion courante repose davantage sur la bonté, sur la capacité de se sacrifier pour autrui, d'agir pour autre chose que soi. D'où l'inévitable exemple du sauveteur dans les modernes controverses sur les *Maximes*. C'est substituer au débat qui préoccupait leur auteur, avec toute son époque, un autre débat qu'il n'a ni conçu ni engagé.

Paul Bénichou,
Morales du Grand Siècle (1948).

De son livre, où tant de critiques n'ont voulu voir que sécheresse, amertume, négation, se dégage au contraire une haute et forte morale. Il disait un jour au chevalier de Méré : « La parfaite honnêteté que je mets au-dessus de tout [...]. » Voilà en effet le dernier mot de ses *Maximes*. Elles sont, à qui va plus loin que les apparences, un manuel pour la formation de l'honnête homme, une sorte de réplique française au *Discreto* de Balthasar Gracián.

A. Adam,
Histoire de la littérature française au XVIIe siècle,
tome IV (1954).

La vision de La Rochefoucauld n'est pas dialectique, et c'est en cela qu'elle est désespérée; mais elle est rationnelle, et c'est en cela, comme toute philosophie de la clarté, qu'elle est progressive.

Roland Barthes,
Préface aux « Maximes ».

SUJETS DE DEVOIRS ET D'EXPOSÉS

● L'amour-propre chez La Rochefoucauld. Rapprochez les maximes qui en traitent avec ces propos de Vauvenargues : « Est-il contre la raison ou la justice de s'aimer soi-même ? Et pourquoi voulons-nous que l'amour-propre soit toujours un vice ? [...] S'il y a un amour de nous-même naturellement officieux et compatissant, et un autre amour-propre sans humanité, sans équité, sans bornes, sans raison, faut-il les confondre ? [...] On suppose que ceux qui servent la vertu par réflexion la trahiraient pour le vice utile. Oui, si le vice pouvait être tel aux yeux d'un esprit raisonnable [...]. Si l'illustre auteur des *Maximes* eût été tel qu'il a tâché de peindre tous les hommes, mériterait-il nos hommages et le culte idolâtre de ses prosélytes ?

« [...] Le duc de La Rochefoucauld était philosophe et n'était pas peintre. »

Réflexions et maximes (1746).

● Discutez ce jugement de Sainte-Beuve : « Le moraliste, chez La Rochefoucauld, est sévère, grand, simple, concis [...]. Il appartient au pur Louis XIV. »

● Comparez avec les maximes sur l'*honnêteté* (chez La Rochefoucauld et chez les autres moralistes du XVIIᵉ siècle) les pensées 35, 36 et 68 de Pascal, puis ces lignes de Chamfort : « L'honnête homme détrompé de toutes les illusions est l'homme par excellence. Pour peu qu'il ait d'esprit, sa société est très aimable. Il ne saurait être pédant, ne mettant d'importance à rien ; il est indulgent, parce qu'il se souvient qu'il a eu des illusions comme ceux qui en sont encore occupés. C'est un effet de son insouciance d'être sûr dans le commerce, de ne se permettre ni redites, ni tracasseries. Si on se les permet à son égard, il les oublie ou les dédaigne. Il doit être plus gai qu'un autre, parce qu'il est constamment en état d'épigramme contre son prochain ; il est dans le vrai, et rit des faux pas de ceux qui marchent à tâtons dans le faux : c'est un homme qui d'un endroit éclairé voit dans une chambre obscure les gestes ridicules de ceux qui s'y promènent au hasard : il brise en riant les faux poids et les fausses mesures qu'on applique aux hommes et aux choses. »

● Ressemblances et différences entre La Rochefoucauld et Pascal, entre La Rochefoucauld et La Bruyère : a) au point de vue du *caractère*; b) au point de vue de la *doctrine*.

● La Bruyère déclare lui-même (*Discours sur Théophraste*) qu'il est « moins sublime que Pascal, moins délicat que La Rochefoucauld, et qu'il tend seulement à rendre l'homme raisonnable par des voies simples et communes ». Quel est votre avis ? (Cf. Nisard, *Histoire de la littérature française*, III, XII.)

● Le reflet : 1° de la Fronde; 2° de la société précieuse dans les *Maximes* (à ce propos, consulter aussi les *Mémoires* du duc et, si possible, ceux de ses contemporains).

● Antoine Adam écrit : « L'inspiration des *Maximes* s'éclaire donc par le climat de pessimisme politique et moral où elles sont nées. » On recherchera ce qui justifie cette affirmation, quitte à la nuancer au besoin. On rapprochera de ce passage le raccourci de Marcel Arland : « La Rochefoucauld est le chef-d'œuvre d'une société. »

● « Ha! Madame, quelle corruption il faut avoir dans l'esprit et dans le cœur, pour être capable d'imaginer tout cela! J'en suis si épouvantée, que je vous assure que, si les *plaisanteries* étaient des choses sérieuses, de telles maximes gâteraient plus ses affaires que tous les potages qu'il mangea l'autre jour chez vous. » Voilà ce qu'écrivait Mme de La Fayette à Mme de Sablé à propos des *Maximes*. Etes-vous d'accord?

● « Il y a beaucoup de simples dont le suc est poison, qui ne sont point dangereux lorsqu'on n'en a rien extrait et que la plante est en son entier. Ce n'est pas que cet écrit ne soit bon en de bonnes mains, comme les vôtres, qui savent tirer le bien du mal même; mais aussi on peut dire qu'entre les mains de personnes libertines, ou qui auraient de la pente aux opinions nouvelles, cet écrit les pourrait confirmer dans leur erreur, et leur faire croire qu'il n'y a point du tout de vertu, et que c'est folie de prétendre de devenir vertueux, et jeter ainsi le monde dans l'indifférence et dans l'oisiveté, qui est la mère de tous les vices. J'en parlai hier à un homme de mes amis, qui me dit qu'il avait vu cet écrit, et qu'à son avis il découvrait les parties honteuses de la vie civile et de la société humaine, sur lesquelles il fallait tirer le rideau. » Que révèle ce passage d'une lettre écrite par un correspondant inconnu à Mme de Sablé?

● « A considérer superficiellement l'écrit que vous m'avez envoyé, il semble tout à fait malin [= méchant], et il ressemble fort à la production d'un esprit fier, orgueilleux, satirique, dédaigneux, ennemi déclaré du bien, sous quelque visage qu'il paraisse, partisan très passionné du mal, auquel il attribue tout, qui querelle et qui choque toutes les vertus, et qui doit enfin passer pour le destructeur de la morale et pour l'empoisonneur de toutes les bonnes actions, qu'il veut absolument qui passent pour autant de vices déguisés. Mais, quand on le lit avec un peu de cet esprit pénétrant qui va bientôt jusqu'au fond des choses, pour y trouver la fin, le délicat et le solide, on est contraint d'avouer ce que je vous déclare, qu'il n'y a rien de plus fort, de plus véritable, de plus philosophe, ni même de plus chrétien, parce que, dans la vérité, c'est une morale très délicate, qui exprime d'une manière peu connue aux anciens philosophes et aux nouveaux pédants la nature des passions qui se travestissent dans nous si souvent en vertus. » Discuter cette opinion d'un correspondant de Mme de Schomberg.

● « Mais peut-être que votre ami, Madame, a des raisons de ne point passer les bornes de la sagesse humaine, et comme il a l'esprit fort délicat, il pourra même croire qu'il y a de l'orgueil ou de l'intérêt secret en mon avis, et quelque protestation que je lui puisse faire du contraire, il n'est pas obligé de me croire. Il vaut donc mieux, Madame, que vous ne lui en parliez point du tout, s'il vous plaît, et que vous lui disiez seulement que, quand il n'y aurait que son écrit au monde avec l'Évangile, je voudrais être chrétien. L'un m'apprendrait à connaître mes misères, et l'autre à implorer mon libérateur ; ce sont les deux premiers degrés de la vie spirituelle. » On étudiera ce jugement d'un contemporain de La Rochefoucauld en utilisant, en particulier, les textes précédents.

● Etes-vous d'accord avec Berthet lorsqu'il déclare (1890-1891) : « Les faux moralistes sont des faux-monnayeurs qui mettent toutes les ressources de leur intelligence et de leur savoir-faire à donner aux mauvais alliages les apparences du métal en titre, jetant le trouble et la défiance dans les relations honnêtes par les émissions de mauvais aloi [...]. Telle a été et telle s'est continuée parmi nous l'édifiante besogne de ces *Maximes* tant prônées, où *le style est fourbi comme un étalage de coutelier;* où tous les prismes de l'esprit distribuent si savamment les étincelles de miroirs aux alouettes, où la diffamation du cœur humain, venimeuse et préméditée, a eu le singulier honneur de gagner les esprits en révoltant les consciences. »

● On commentera ce jugement de Nietzsche *(Humain, trop humain)* : « La Rochefoucauld et les maîtres français de l'examen psychologique sont *semblables à des archers* dont les flèches précises atteignent toujours à nouveau le centre noir de la cible, ce cœur noir de la nature humaine. Leur virtuosité éblouit, mais le spectateur, s'il se laisse guider plutôt par l'amour de l'humanité que par celui de la science, en vient peut-être à déplorer un art qui semble implanter en nous, à l'égard de l'homme, le goût de la dépréciation et du soupçon. »

● Pensez-vous avec R. Barthes que « le pessimisme de La Rochefoucauld n'est qu'un rationalisme incomplet » ?

● Analysez ces deux affirmations de A. Adam : « Les *Maximes*, c'est d'abord la sagesse païenne démasquée, c'est le mensonge des vertus naturelles mis au grand jour, c'est l'amour-propre avoué pour l'unique mobile de l'homme lorsqu'il est abandonné à lui-même. » « On serait parfois tenté de le dire stoïcien, et il est exact que plus d'une de ses maximes s'inspire de Sénèque. Mais c'est toute la sagesse antique qui servait à son explication de l'homme. »

● Comment situeriez-vous La Rochefoucauld dans le XVIIᵉ siècle, en vous aidant de ces lignes de Sainte-Beuve : « *Dans l'histoire de la langue et de la littérature française, La Rochefoucauld vient en date au premier rang après Pascal, et comme en plein Pascal, qu'il devance* même en tant que pur moraliste. Il a cette netteté et cette concision de tour que Pascal seul, dans ce siècle, a eues avant lui, que La Bruyère ressaisira, que Nicole n'avait pas su garder, et qui sera le cachet propre du XVIIIe siècle, le triomphe perpétuellement aisé de Voltaire. »

● Antoine Adam écrit : « L'image de l'homme qui se dégage des *Maximes* est celle d'un être instable et déchiré, jouet de passions contraires, ignorant des forces qui le mènent, inconnaissable à soi-même comme aux autres.

« L'immense majorité des auteurs de son siècle soutenait que nos actions ont une double source, une appétition égoïste, tournée vers la conservation de notre être, et une autre, tournée vers la recherche des valeurs universelles, inclination naturelle au bien et à l'action désintéressée. Voilà la doctrine qu'Hobbes venait de combattre vigoureusement. Les *Maximes* n'ont de sens que s'il existe en l'homme un seul amour naturel, l'amour de soi, l'amour-propre. Ce n'est pas la réalité de la vertu qu'elles nient, c'est qu'elle soit jamais « natu-« relle. » Qu'en pensez-vous ?

● Que veut dire Aldous Huxley lorsqu'il écrit *(Along the Road)* : « Il est impossible de lire Proust sans évoquer les *Maximes* ou les *Maximes* sans évoquer Proust. » ?

● Voltaire, dans *le Siècle de Louis XIV*, écrivait des *Maximes* : « C'esin moins un livre que des matériaux pour orner un livre. » Vinet, de son côté, notait : « Le livre des *Maximes* ne renferme ni un système ni même les éléments d'un système. » Cela vous paraît-il exact ?

● Peut-on appliquer à La Rochefoucauld, et si oui, dans quelles limites, cette remarque de Paul Léautaud : « Il n'est pas de sentences, de maximes, d'aphorismes, dont on ne puisse écrire la contrepartie » *(Propos d'un jour)*. Les *Maximes* ne seraient-elles qu'un jeu ?

● Gourdault, éditeur des *Maximes* (1888), affirmait : « Il n'y a pas, croyons-nous, d'écrivain des mêmes années, c'est-à-dire du commencement de la seconde moitié du XVIIe siècle, chez qui soit si rare ce qu'on appelle les archaïsmes : les mots, les locutions qui, de ce temps au nôtre, ont vieilli. » Cette opinion vous paraît-elle toujours exacte ?

● Mary Zeller, étudiant le style des *Maximes*, écrivait (1954) : « Cet examen des motifs mélodiques montre une fois de plus que le charme de La Rochefoucauld ne réside pas dans la concision et la clarté, mais qu'il se fonde plutôt sur la fusion des qualités et de la musicalité de la phrase. La logique se mue ainsi en lyrisme. » Analysez et éventuellement discutez cette affirmation.

● Dans quelle mesure peut-on dire avec M. Starobinski que les *Maximes* sont « un labyrinthe de miroirs » ?

● Roland Barthes écrit : « La maxime est un bloc général composé de blocs particuliers. » Expliquez et commentez cette conclusion.

TABLE DES MATIÈRES

Mame Imprimeurs - 37000 Tours
Dépôt légal Juin 1975. — N° 13720. — N° de série Éditeur 14346
IMPRIMÉ EN FRANCE (Printed in France). — 870 079 G Janvier 1988